TEMPS
ET
MYSTIFICATION
DANS
« A LA RECHERCHE
DU TEMPS PERDU »

Georges DANIEL

TEMPS
ET
MYSTIFICATION

DANS
« A LA RECHERCHE
DU TEMPS PERDU »

A. G. NIZET
Paris — 1963

AUTOUR DES CLOCHERS DE MARTINVILLE

Remarques sur l'espace proustien

> « ...*plus simple encore et plus stupé-
> fiante est son invention dans l'ordre de
> l'espace* » (1)

Un grand vaisseau immobile, construit à l'intérieur et aux confins du temps, ancré à la fois
dans la durée et l'éternité, tel nous apparaît le
roman de Proust quand nous l'envisageons à travers la doctrine esthétique, ou plutôt les recettes
de création littéraire, qui y sont exposées. Mais
ce vaisseau, cette cathédrale, œuvre et symbole
du temps, commence par inscrire ses volumes et
ses profils dans un creux indéterminé que nous

---

(1) Ortéga y Gasset, *Hommage à Marcel Proust*,
p. 291.

nommons espace. C'est là, dans cette trame moins
riche en apparence, moins enchevêtrée que celle
du temps, dans la fonction poétique que le
romancier a assignée à l'espace et dans la vision
originale qu'il en a eue, qu'il faut chercher
l'ébauche de cette architecture massive et
ondoyante, immense et fragmentaire dans
laquelle, comme dans un château de cartes indes-
tructible, Proust a enfermé la *Recherche*.

Le terme de cathédrale, plus exactement de
« cathédrale inachevée », malgré le sort que lui
ont fait nombre de critiques, n'éclaire que certains aspects superficiels et surtout artificiels de
la structure du roman. Que Proust, en écrivant
A la Recherche du Temps Perdu, ait largement
puisé dans ses connaissances en matière d'architecture religieuse et plus spécialement gothique,
n'implique nullement que le plan de l'œuvre
dérive de la même source. On connaît pourtant
ces pages de la *Recherche* (2) où de la contem-
plation fascinée de l'église de Combray se dégage
obscurément, puis, dans le souvenir, clairement,
l'idée d'un espace à quatre dimensions, une psychologie dans l'espace et même la forme de l'œuvre future. Mais si l'idée est riche de conséquen-

---

(2) *A la Recherche du Temps perdu,* bibliothèque de
la Pléiade, I, 60 ; III, 1045 — Voir aussi *Contre Sainte-
Beuve,* p. 285.

ces pour la structure du roman, le point de
départ, c'est-à-dire l'église, peut fort bien n'être
qu'un prétexte. Proust a trop longuement et trop
profondément médité sur les particularités, les
frontières et l'autonomie de chaque art pour tomber à son tour dans l'erreur qui consiste à assu-
jettir la littérature à une technique et à une vision
qui lui sont étrangères. Ni son admiration pour
Ruskin, qui du reste s'accompagne de sérieuses
réserves, ni la part, peut-être considérable, de la
documentation qu'il a rassemblée sur les cathé-
drales dans l'élaboration de ses théories esthétiques, ni même ses confidences sur la composition
du livre, ne sauraient justifier une si factice et si
mystique analogie.

Il y a, certes, dans les parties les plus accessi-
bles de la construction proustienne, des piliers,
des lignes qui convergent, des arcs partant de
points extrêmement éloignés les uns des autres et
qui finalement se réunissent en un semblant de
clef de voûte. Mais ces fils qui relient les personnages et les *côtés* ne doivent rien à l'inspiration ;
on a beau admirer l'habileté « vulcanienne »
avec laquelle ils sont tissés, on ne peut s'empêcher de regretter que Proust n'ait pas davantage
caché son jeu. Car c'est bien d'un jeu qu'il s'agit,
d'un artifice assez banal, employé à d'autres fins
que les leurs, mais hérité de Balzac et de
Dickens : ces fils, à vrai dire, ne sont que des
ficelles, et la fameuse *rosace* qu'une rose plutôt

fanée de la rhétorique de composition (3). Rhétorique dont les procédés, pour importants qu'ils aient été aux yeux de Proust (un de ses principaux soucis n'a-t-il pas été de prévenir ou de rejeter toute critique concernant le caractère d'improvisation de la Recherche ?), montrent seulement ce que son art, dans sa hantise d'une impossible unité, doit aux grandes œuvres incomplètes, incomplètes parce que démesurées, du XIXᵉ siècle, notamment à la *Comédie humaine* et à la *Tétralogie* (4).

Cependant cette cathédrale métaphorique, précieuse, inachevée et surfaite, dont on voit mal le rapport avec la forme du roman, joue un rôle de premier plan dans l'éducation esthétique de Marcel : elle est le résidu abstrait de toutes celles dont les clochers au cours de ses voyages, révélèrent à Proust, puis, grâce à lui, au narrateur enfant de *Du côté de chez Swann*, les fécondes et troublantes illusions de la perspective.

---

(3) L. Guichard, *Introduction à la lecture de Proust*, p. 47 : « J'avoue que l'image d'une rose de cathédrale ne m'éclaire pas beaucoup la composition de son roman ». Cependant, à propos des Caves du Vatican, Proust écrit à Gide : « J'aurais beaucoup à vous dire de ce roman... dont les épisodes convergent, composés comme dans une rose d'Eglise. C'est à mon goût la composition la plus savante...» (*Lettres à André Gide*, p. 25) Sur la valeur des idées littéraires contenues dans certaines lettres, voir Jean Santeuil, III, 250-251.
(4) Cf. R.T.P. Pléiade, III, 160.

Les premières impressions auxquelles le narrateur réussit à donner une traduction littéraire constituent, quelque rudimentaires qu'elles soient, une véritable expérience de l'espace, antérieure, tout au moins dans la chronologie du récit, à toute forme de prise de conscience du temps. Et non seulement cette expérience précède celle du temps, mais elle en préfigure par moments les aspects essentiels (5). Calquée en partie sur l'exploration de la perspective spatiale, la découverte progressive de la relativité du temps fera toujours apparaître en filigrane, de même que l'évolution des personnages ne cessera d'évoquer les révolutions d'un solide, les métamorphoses des clochers de Martinville.

Est-ce un souvenir d'enfance que Proust transpose en faisant surgir dans les pages du roman ces deux clochers et celui de Vieuxvicq qui vient les rejoindre ? La «chaîne tremblante» des souvenirs qui serpente à travers la *Recherche* est une création moins de la mémoire affective du passé que de l'imagination travaillant sur des données relativement actuelles. Dans ce cas précis la preuve en est fournie par Proust

---

(5) Pour Jean Santeuil (III, 126) le temps ressemble à l'espace, «toute la partie qui ne tombait pas immédiatement sous son rayon visuel étant cachée derrière cet horizon vague que l'œil en arrière ni en avant, ne cherche pas à pénétrer et après lequel il semble qu'il n'y ait plus rien. »

lui-même. Dans une note de *Pastiches et Mélanges* (p. 92) il indique que ce fragment de *Du Côté de chez Swann* est une citation partielle d'une page produite dans *Journées en Automobile*. C'est au cours d'une randonnée dans la voiture conduite par « l'ingénieux Agostinelli » — ce qui ne laisse subsister aucun doute sur la date de ces impressions — que Proust a l'occasion d'observer, à mesure que l'automobile se déplace, la translation au-dessus de la plaine, puis de la ville, des clochers de Saint-Etienne de Caen, accompagnés par celui de Saint-Pierre, auxquels, la distance diminuant, se substituent les tours de la Trinité, elles aussi rejointes par un troisième clocher, probablement celui de Saint-Sauveur. Malgré la transposition, la ressemblance entre les deux morceaux descriptifs est si évidente qu'il ne nous resterait rien à ajouter à la note de Proust si nous ne savions que, si récente que fût une expérience, l'auteur de la Recherche ne manquait presque jamais d'en extraire les éléments à côté ou à l'arrière-plan desquels il lui serait possible de faire figurer » la riche orchestration » de ceux, identiques ou seulement analogues, tirés des couches profondes de la mémoire, très souvent la sienne, mais parfois l'autre, la fictive, celle de son héros ou de son double. Double aussi, comme chaque sensation, chaque image de l'univers proustien l'est d'une autre, et même de plusieurs autres, ces clochers vers

lesquels nous conduit, avec le narrateur, la voiture du docteur Percepied ; double de Saint-
Etienne et de la Trinité de Caen, mais également
de Notre-Dame d'Amiens dont Ruskin énumère
les différents itinéraires d'approche avec leurs
avantages respectifs pour le touriste, et de Chartres, surtout de Chartres. En effet, primitivement (6), dans un fragment de *Contre Sainte-
Beuve,* c'est aux clochers de Chartres que s'associe la tristesse du narrateur d'être séparé de sa
mère. « J'allais vers eux comme vers le moment
où il faudrait dire adieu à maman, sentir mon
cœur s'ébranler dans ma poitrine, se détacher de
moi pour la suivre et revenir seul ! » (7) Chartres c'est encore Illiers, Etreuilles ou Combray,
l'enfance. C'est alors, à cette époque des arbres
et des fleurs, et des longues promenades toutes
imprégnées de douceur nervalienne, qu'avec les
grands désirs informulés, naissent, magiques
dans leur essence, les notions enfantines de l'espace, l'horizon, les chemins, les directions, au
bout desquelles surgissent les premiers objets
privilégiés, êtres et choses inaccessibles, mais
fixes, ne possédant encore qu'un seul visage. Car

_____

(6) Ce terme ne se justifie que dans la mesure où
l'on considère *Contre Sainte-Beuve,* en partie tout au
moins, comme une première version d'*À la Recherche
du Temps perdu.* Mais qu'est-ce que l'ensemble des écrits
de Proust sinon une première version, une succession
d'ébauches, une recherche de la *Recherche* ?
(7) *Contre Sainte-Beuve,* p. 291.

si la découverte de la distance et de ce qu'elle implique d'éloignement, de séparation, et par conséquent de « curiosité douloureuse » et de tristesses crues sans remède, marque indiscutablement une date et un point de départ dans l'évolution psychologique de l'enfant, ce n'est que bien plus tard qu'elle pourra être élargie, complétée par celle des figures tournantes, des angles variables et des perspectives modifiées.

Cette découverte, ultérieure et progressive, de la mobilité des choses inertes ou vivantes, de la relativité du regard, a été sans doute sciemment antidatée. Le premier élan créateur de l'artiste en herbe, la brusque et naïve initiation à l'effort littéraire, recèlent ainsi, indiscernables dans l'enthousiasme juvénile, les germes du scepticisme futur, substance et itinéraire de la méditation proustienne. De sorte que l'apprentissage de l'espace et des illusions qu'il engendre constitue, en même temps qu'une incursion exaltante dans les domaines secrets de la poésie, une source de plus en plus riche, si l'on peut dire, d'insécurité, de doute et de découragement.

L'insécurité n'implique pas nécessairement une multiplication des points de vue. Il suffit que, quelle qu'en soit la cause, la matière ou la forme de l'objet s'altère, qu'il semble tout à coup, lui immobile, doué de mobilité, sur le point de devenir méconnaissable, pour qu'aussitôt une sourde inquiétude s'empare de celui dont il sollicite l'at-

tention. C'est dans les chambres surtout, mieux
encore, dans la *chambre* (virtuellement celle de
la maison de santé, où semble débuter le récit,
les contient toutes, même le N° 43 (8) de l'hôtel
de Jupien), en tant qu'espace ou théâtre clos
idéal, que se déroulera l'aventure de ces troublantes mutations. Cette *chambre* que représen-
te-t-elle exactement pour Proust ? Un nid, un
sanctuaire, une prison (9), un laboratoire (9 bis) ?
Une chambre noire, une chambre de torture ?
Tout cela sans doute et simultanément.

   « Il n'y a pas seulement création d'êtres, mais
de demeures chez Dostoïewski... », lisons-nous
dans *la Prisonnière*. Et au même endroit :
« ...cette sombre, et si longue, et si haute, et si
vaste maison de Rogojine... » (10) Cette remarque si juste, si admirablement exprimée, nous
conduit à nous demander quel est l'apport de
Proust dans ce domaine, dans quelle sorte de
maisons habitent ses personnages. Or il n'y a pas
de maisons chez Proust. Un « pan lumineux »,
une section en forme de « pyramide irrégulière »,
une entrée, un petit jardin, un escalier comme

---

   (8) A noter que, inadvertance ou détail révélateur, le
N° 43 est à la fois la chambre qu'occupe momentané-
ment le narrateur et celle où Charlus se fait flageller.
   (9) « La chambre c'était la prison, mais le lit c'était
la tombe ». (*Jean Santeuil*, II, p. 178).
   (9 bis) M. Gaëtan Picon (*Lecture de Proust*, p. 128)
l'appelle un « observatoire-refuge ».
   (10) R.T.P. Pléiade, III, 382.

suspendu dans le vide, des pièces flottantes, aux
dimensions variables et très rarement situées les
unes par rapport aux autres : des fragments de
maison, jamais la maison elle-même, construite,
achevée, possédant une façade, un toit, une
architecture extérieure ou intérieure définitive (11). Non que les chambres ou les grandes
pièces de réception envahissent et dévorent les
maisons ; au contraire, elles ne parviennent pas
à les remplir. Qu'il s'agisse là d'un moyen, parmi
d'autres, de rendre avec fidélité le flou du souvenir involontaire, chose d'ailleurs fort peu probable, sauf pour le commencement du roman,
cela n'a guère d'importance. Seul compte l'effet :
l'impression d'isolement, d'exil, parfois d'asphyxie, dès qu'on quitte le plein air, la campagne de
Combray, le Bois de Boulogne, Balbec et ses environs. Derrière cet univers tronqué, amputé, on
devine à chaque instant la réclusion, contemporaine de la composition du livre, de l'éternel
malade ou du créateur fiévreux, réduit à ne plus
quitter sa chambre, le retranchement vigilant et
dément de l'être anormal condamné à une vie
clandestine. Expérience on ne peut plus réelle,

---

(11) Il y a certainement beaucoup de gens qui s'ima-
ginent que Picasso déforme les objets parce qu'il ne
sait pas les peindre autrement. On commettrait la même
erreur en supposant que Proust ne savait pas décrire
une maison. Il suffit de lire la description de l'hôtel
du marquis de Réveillon dans *Jean Santeuil* (III, 278-
279) pour se persuader du contraire.

à la fois héroïque et déplorable, mais que l'artiste exploite jusqu'au vertige, jusqu'au rêve.

La dislocation de l'espace, objet ou image se poursuit de l'intérieur, spontanément. La *chambre,* cessant d'être un cadre fixe, l'immuable décor de l'habitude, devient le lieu fantastique où le voyageur, le malade, l'amoureux ou l'artiste éprouvent le supplice du dépaysement. En fait elle n'a même pas besoin de le devenir puisqu'elle l'est d'emblée, dans l'ordre de succession des pages comme dans celui des années. Les heures d'insomnie tout comme les projections de la lanterne magique se jouent de la solidité des parois, même de l'orientation de ces chambres d'été ou d'hiver dans lesquelles, en principe, tout doit être rassurant pour l'esprit, familier pour le corps. Moins fabuleux mais tout aussi cruels, les voyages et les déménagements sont à l'origine d'angoisses semblables. Mais ici, une fois de plus, le romancier réinvente le passé en fonction du présent, de son présent d'artiste méditant sur les métamorphoses spontanées des objets qui l'entourent. Nous n'en voulons pour preuve que cette page de *Journées de Lecture* où Proust déclare : « Pour moi, je ne me sens vivre et penser que dans une chambre où tout est la création et le langage de vies profondément différentes de la mienne... je ne me sens heureux qu'en mettant le pied... dans un de ces hôtels de province aux longs corridors froids où le vent du dehors lutte

avec succès contre les efforts du calorifère...» (12)
Voilà qui nous change singulièrement du désespoir des premières nuits à Balbec. Le plaisir
qu'on ressent dans une chambre d'hôtel « en
marchant pieds nus sur son tapis inconnu », le
narrateur semble l'ignorer complètement. Ce
qu'il demande, au contraire, pour se sentir à
l'abri, pour s'endormir tranquillement, c'est du
connu, rien que du connu. Car si l'habitude est
nocive en un sens, comme toute drogue dont on
abuse, quel autre remède existe-t-il pour apaiser
la méfiance et le doute, comment, sinon par elle,
échapper aux souffrances que nous prépare la
perverse et funeste liberté ? Fuir sa liberté, la
dépister et l'étouffer chez les autres, ces deux
tendances, contradictoires et complémentaires,
donnent au narrateur cette physionomie de
tyran embusqué dont les traits s'accusent de plus
en plus au cours du récit. L'auto-séquestration
aboutit à la séquestration et vice-versa, et les
deux à une sorte d'unité de lieu, de matérialisa-
tion de l'idée fixe : la *chambre*. On est loin de la
chambre, somme toute ensoleillée, de tante Léonie, et même de la chambre de liège du boule-
vard Haussmann : l'asthme s'est transformé en
asphyxie morale, l'odeur des fumigations en
ambiance de folie, en cauchemar. Ainsi, non
seulement Albertine et Marcel, mais l'espace lui-

---

(12) *Pastiches et Mélanges*, Gallimard, p. 235.

même est pris au piège, captif, limité à son tour
par ceux dont il limite les mouvements.

Cependant le rêve continue son œuvre d'éro-
sion et de décomposition. Travail de sape discret,
si proche de celui du souvenir et de l'imagination, si étroitement dépendant du leur, et tellement peu comparable, par ses effets immédiats,
aux grands bouleversements oniriques, qu'on le
remarque à peine. A cause même de l'écart
infime, insaisissable, qui s'insinue entre lui et la
réalité, l'espace où évoluent les personnages de
la Recherche est un espace de rêve, un pays aux
frontières évanescentes, sillonné d'itinéraires
magiques. Sans parler du « côté de Guermantes » et de son inaccessible château (les pages qui
lui sont consacrées dans *Contre Sainte-Beuve* ne
figurent plus dans la *Recherche*), arrêtons-nous
à deux exemples qui illustrent à merveille cette
géographie de rêve dont Proust a dessiné les cartes avec autant de désinvolture que de minutie.

Dans la troisième partie de *Du côté de chez
Swann*, le narrateur précise que le beau train
généreux d'une heure vingt-deux », qui partait
de la gare Saint-Lazare, « s'arrêtait à Bayeux,
à Coutances, à Vitré, à Questambert, à Pontor-
son, à Balbec, à Lannion, à Lamballe, à Beno-
det, à Pont-Aven, à Quimperlé... » (13) Etrange
parcours — combien de correspondances fau-

(13) R.T.P., Pléiade, I, 836.

drait-il prendre pour l'effectuer? — où ni l'ordre
de succession des gares, ni, cet ordre rectifié, leur
assemblage sur une même ligne de chemin de
fer, ne paraissent compatibles avec la réalité.
Les habitudes mentales de Proust, le procédé de
l'amalgame ou de la synthèse qu'il a systématiquement utilisé à tous les étages de son œuvre,
la géniale mystification à laquelle il s'est livré
tout au long du récit, interviennent sans doute
pour une part dans la composition d'une si
curieuse mosaïque. On y reconnaît cependant,
sans être obligé de recourir à des interprétations
trop subtiles, le mécanisme du rêve, ses figures
kaléïdoscopiques. Ce ne sont ni l'œil ni la
mémoire qui construisent l'espace, mais, tempé-
rées et réorganisées par une démarche cons-
ciente, les images anarchiques du sommeil.

Plus loin, au cours du premier voyage à Balbec, lorsque le train s'arrête « à une petite gare
entre deux montagnes » (14) ce qui frappe immédiatement c'est l'invraisemblance de ce paysage,
de cette « gorge sauvage du Jura » (15) trans-
plantée en Normandie. Mais l'interpolation d'un

---

(14) *Ibid.*, I, 655.
(15) *Contre Sainte-Beuve,* p. 102 — Deux chapitres
de *Jean Santeuil* : La mer à la montagne et Begmeil en
Hollande (II, 214 - 227) contiennent une justification
psychologique et esthétique de ce genre d'interpola-
tions. Mais à notre avis, ici, et dans d'autres passages
de la Recherche, ce procédé ne se rattache plus, ou à
peine, à la théorie de la mémoire involontaire.

souvenir appartenant à une autre époque et à un
autre lieu, justement par l'espèce de recul, d'éveil
momentané qu'elle provoque chez le lecteur, ne
contribue pas à resserrer la trame du rêve. On a
plutôt le sentiment d'une pause, d'une déchi-
rure, au demeurant vite dissipé par les sortilèges
de cette côte normande, à la topographie aussi
vacillante que les murs de la chambre d'enfant,
les vitraux ensoleillés de Saint-Hilaire ou le
Paris crépusculaire menacé par les Gothas.

Bien plus que celle des environs de Combray,
la carte de cette région, malgré le grand nombre
de routes et de localités indiquées, se présente
comme un croquis énigmatique, comme l'ébauche d'un espace où les notions habituelles de position et de distance, soumises à la relativité, changent de contenu, sans qu'on puisse définir avec
précision la nature de ce changement. A force de
tour et de détours, surtout de retours, ces « da
capo du rêve » (16) — et de surcroît Proust lui-
même s'embrouille par moment dans sa topony-
mie — la localisation de tel ou tel lieu vingt fois
cité ne peut plus se faire que d'une manière tout
à fait approximative, à l'aide de repères relativement fixes : Rivebelle d'un côté, Doville —
Féterne de l'autre. L'échelle de la carte, davantage encore les distances entre les divers endroits
visités, traversés ou aperçus de loin, varient sans

_____

(16) R.T.P., Pléiade, III, 538.

cesse, selon les circonstances extérieures et la
disposition intérieure. A la base ou à la limite de
ces variations, il y a la notion de distance subjective, apparentée à celle de durée subjective,
c'est-à-dire encore la distance grossière, mesurable, mais contractée ou « étirée de telle sorte
qu'on ne la reconnaît pas » (17). Si cette élasticité dans le rapport de choses le plus tradition-
nellement stables apparaissait comme un phénomène de réfraction dû uniquement au pouvoir
déformant du souvenir, aux « intermittences »
de la mémoire, il n'y aurait pas lieu d'y insis-
ter davantage, puisque, grâce aux analyses de
l'auteur, nous en connaissons le mécanisme jusque dans ses moindres rouages. Mais ici — et
c'est là une des « beautés neuves » les plus cap-
tivantes de la *Recherche* — le lecteur n'a droit
à aucune explication, sans compter que, l'invrai-
semblable n'existant pas dans les rêves, il
n'éprouve même pas le besoin d'en chercher
une. « Il n'y a pas, estime le narrateur, entre le
souvenir d'un rêve et le souvenir d'une réalité
de grandes différences... » (18). Dès lors à quoi
bon se poser des questions, surtout en présence
d'un rêve qui est tout entier dans la façon de
voir, de sentir, et non dans ce qui est vu et senti.

---

(17) *Ibid.*, III, 121.
(18) *Ibid.*, III, 651.

La cour de l'hôtel de Guermantes n'offre peut-
être aucune analogie avec une quelconque surface délimitée. Est-elle large, étroite ? Cela
dépend de ce qui s'y passe, de qui la traverse, et
de quel pas. Où situer l'entrée de la demeure du
duc, le petit jardin ? Sur quelle rue donne la
fenêtre de la chambre d'Albertine ? Peu importe.
L'espace est si prudemment, si furtivement désin-
tégré, l'incohérence si insensiblement infusé dans
le récit qu'on admet sans le moindre effort d'imagination tout ce que le romancier veut nous
faire croire. Doncières, dans l'espace de quelques années, s'est singulièrement rapproché de
Balbec. La difficulté est apparemment résolue
par l'extension du réseau ferroviaire : « Le
petit chemin de fer d'intérêt local, faisant une
boucle qui n'existait pas quand je l'avais pris
avec ma grand-mère, passait maintenant à Don-
cières-la-Goupil... » (19). Mais cette boucle, au
lieu de recréer la continuité de l'espace, en
achève la destruction. Et ceci nous amène à
notre deuxième exemple d'itinéraire magique,
celui du « tortillard », le petit chemin de fer
qui conduit les « fidèles » à la Raspelière.

Le long fragment où sont évoquées, jalon-
nant une suite non chronologique d'allers et de
retours morcelés au cours de l'été finissant, les
stations du « Transatlantique », constitue peut-

_____

(19) *Ibid.*, II, 856.

être, par la virtuosité sans égale, par la miraculeuse aisance avec lesquelles est mise en œuvre
la dialectique temps-espace, le véritable sommet
technique de la *Recherche*. Bornons-nous à noter
l'impression de dépaysement qui s'en dégage, et
cela au moment même où le romancier, poursuivant inlassablement sa démonstration, s'attache
à faire comprendre comment, par la force de
l'habitude, les noms des stations du T.S.N. et ces
stations elles-mêmes se dépouillent petit à petit
de leur mystère, mystère dont les ont parés, qu'y
ont accumulé le désir et les rêveries du narrateur. Or l'optique de ce dernier, quel qu'en soit
le pouvoir despotique, ne peut empêcher le lecteur de conserver une certaine marge de liberté
dans la sienne. « L'atmosphère purement
humaine » que Marcel finit par respirer dans
cette « vallée sociale » n'affecte en rien, puisque
de toute façon elle ne peut avoir d'effet rétroac-
tif, ni l'irréalité du trajet qu'emprunte le petit
train ni l'incertain mouvement de translation
des gares le long de la voie ferrée. L'apparition
fréquente de figures familières, ou devenues telles, Brichot, Charlus, le comte de Crécy, M. de
Chevregny, ne parvient pas à rendre moins inso-
lite le tracé de la ligne Balbec-Doville. On hésite,
peut-être sans raison valable, à lui faire suivre
la côte, aussi bien du reste qu'à l'en éloigner vers
l'intérieur des terres. C'est entre Incarville et
Saint-Pierre-des-Ifs que le « tacot » semble quit-

ter la falaise pour rejoindre Doncières (20). Mais
comment vérifier cette hypothèse ? Les petites
plages sont mentionnées tantôt dans un ordre,
tantôt dans un autre, sujettes à de constantes et
nébuleuses permutations. De sorte que, destinée
à faire réépouser au récit l'itinéraire du petit
train d'intérêt local, l'expression « à la station
suivante », chaque fois qu'elle revient, a beau
marquer la fin d'une étape et annoncer un nouvel arrêt, cette étape et cet arrêt ne renvoient pas
aux signes qui leur correspondent dans un Indi-
cateur des chemins de fer, même imaginaire.

Ainsi dans ce département de la Manche (21)
fictif, ou, si l'on veut synthétique, la position des
lieux, les dimensions des paysages subordonnées
au moyen de locomotion, changent perpétuellement : « les distances ne sont que le rapport de
l'espace au temps et varient avec lui » (22). Le
temps apparaît comme un facteur presque exclusif des modifications spatiales, masquant les
autres causes de désarticulation : conditions de
visibilité, cadrage, perspective. Or le décalage
entre le « pays » proustien et la région nor-

---

(20) Au départ, il s'agit très vraisemblablement d'une
boucle Cabourg-Dives-Houlgate. Il n'appartient en définitive qu'à ceux qui connaissent bien cette région de
décider si Proust dans les pages sur Balbec et son petit
train a fixé le souvenir d'un rêve ou celui d'une réalité.
(21) R.T.P., Pléiade, I, 130.
(22) *Ibid.*, III, 996.

mando-bretonne (avec quelques réminiscences
d'Ostende, d'Evian, etc.) qu'il est censé restituer,
tient avant tout à ces causes-là. Car ce sont elles
qui, par le « jeu formidable » qu'elles font avec
l'espace, infléchissent si souvent les chemins, et
jusqu'à celui de la *Recherche* dans son ensemble, vers les contrées du rêve.

Contrées de rêve d'autant plus que les apparitions et les rencontres des personnages s'y produisent avec une soudaineté et une absence de
logique impossibles ailleurs. A moins que l'oisi-
veté (à laquelle s'ajoute l'inversion sexuelle), si
proche du rêve à certains égards, ne lui emprunte
aussi ce dérèglement si caractéristique de la
mécanique humaine et sociale, phénomène con-
ditionné par un monde où il ne subsiste des
obstacles matériels que leur reflet psychologique.
Pourquoi ne verrait-on pas tout à coup Legrandin traverser un pont, puisque rien ne le retient
chez lui, aucune obligation ne l'appelle nulle
part ? Pourquoi Charlus ne s'avancerait-il pas
d'une façon aussi imprévue sur le quai de Doncières ? Qu'est-ce qui pourrait empêcher Bloch
de se promener au jardin d'Aclimatation, la
baronne Putbus et Madame Sazerat de débarquer
à Venise, Albertine d'avoir passé des années de
sa brève existence à la fois à Montjouvain, à
Amsterdam et à Trieste ? Certes, les additions,
les inadvertances, les défaillances de la mémoire,
l'influence de Dickens, peut-être aussi celle du

Dostoïewski de l'Idiot et des Possédés ne sont
pas tout à fait étrangères aux nombreuses et sur-
prenantes coïncidences qui réunissent les personnages de Proust. Non plus d'ailleurs que son
besoin, érigé en point de doctrine, d'épuiser toutes les possibilités offertes par la matière du
roman.

Mais avant d'interroger les profondeurs d'une
œuvre, il est bon d'en considérer la surface. Et
là, incontestablement, la *Recherche* reflète les
mœurs grégaires de la haute société, où tout le
monde connaît tout le monde, mais rien d'autre,
où le réel, tout le réel, se concentre en visites,
réunions et réceptions, à l'issue desquelles on
se replonge dans le néant. Si bien que les gens du
monde, privés de leur compagnie habituelle,
hors du clan, se sentent perdus, inexistants.
Madame Verdurin, quoique n'étant encore d'aucune manière introduite dans le « monde », le
véritable, qu'elle fasse une croisière en Méditer-
ranée ou qu'elle séjourne en Normandie, éprouve
toujours le besoin et trouve toujours le moyen
de se faire accompagner par quelques habitués de la rue Montalivet ou du quai Conti.
Tant il est vrai que pour certains milieux,
aujourd'hui comme autrefois, la villégiature
est un prolongement du salon. Balbec, plage
mondaine, n'échappe pas à la règle, tout le
monde s'y retrouve : Bloch, Brichot, le docteur
du Boulbon, les Cambremer, la princesse de

Luxembourg, le prince de Guermantes, etc. Pourtant cette petite société est des plus disparates et ne forme un groupe représentatif que par anticipation : ce n'est qu'après la guerre qu'on verra la plupart de ses membres se côtoyer dans le salon de la nouvelle princesse de Guermantes. C'est dire qu'à l'époque où se déroule la majeure partie de l'action du roman, ce genre de rassemblements, de même que les liens qui se nouent entre les personnages, à quelques exceptions près, sont plutôt l'effet du hasard que des manifestations banales ou les récompenses du snobisme, celui-ci ne revenant au premier plan, s'il y revient, qu'une fois que la rencontre a eu lieu. Partout, à Combray, à Balbec, dans la cour de l'hôtel de Guermantes, le hasard règle les entrées et les sorties des acteurs, lent et paisible comme la nécessité ; c'est lui qui dirige leurs pas à l'intérieur de ces espaces privilégiés où l'événement revêt simultanément l'aspect du réel et de l'irréel, de l'ordinaire et de l'extraordinaire. Rien d'étonnant à ce que le narrateur entrevoie Gilberte dans le jardin de Tansonville ; combien déconcertant, en revanche, le fait que, venant à Combray tous les ans, il ne l'y ait aperçue qu'une seule fois ! Non moins normale est la présence de Madame Bontemps à Balbec ; ce qui surprend c'est qu'on ne la voit nulle part, même pas à la Raspelière. Conséquence de cette transcription spatiale de sa discontinuité : le per-

sonnage proustien surgit et s'éclipse dans une
zone de clair-obscur toujours comprise entre le
possible et l'impossible. A cet égard, et à bien
d'autres encore, la première rencontre entre
Charlus et Jupien, retardée à dessein et placée
au milieu du roman, mérite d'être considérée
comme l'épisode le plus significatif de la *Recherche.*

Symboliquement doublée de celle, conforme à
la nature puisque prévue par les traités de bota-
nique, et cependant miraculeuse, d'une orchidée
et d'un bourdon, la rencontre du baron avec le
giletier se caractérise par l'ambiguïté des situations de rêve. « Cette scène, c'est le narrateur qui
s'exprime ainsi, était empreinte d'une étran-
geté, ou, si l'on veut, d'un naturel, dont la beauté
allait croissant » (23). L'étrange et le naturel ne
s'excluent donc pas, et, comme dans les rêves,
deviennent synonymes. Comme dans les rêves
encore, cette confusion est due, non à une qualité
intrinsèque de l'événement, si bizarre soit-il,
mais à une altération profonde, poussée parfois
jusqu'au renversement complet, des rapports qui
existent à l'état de veille entre les images et les
sentiments. Ici, et pareillement dans les autres
scènes de guet, qui ont pour cadre Montjouvain,
la maison de femmes de Maineville, l'hôtel de
Jupien, etc., le côté étrange des choses ne réside

---

(23) R.T.P., Pléiade, II, 605.

que partiellement dans l'activité d'espion ou de voyeur de celui qui observe (le narrateur, sauf dans la maison close de Maineville) et dans les actes contraires à la morale courante de ceux qui sont observés. Le reste, c'est-à-dire l'essentiel, provient d'une perception très particulière de l'espace qui est à l'origine des sentiments d'insécurité et de découragement qu'éveille d'autre part, nous l'avons déjà dit, la découverte de la relativité.

L'espace du rêve est angoissant a priori, en dehors de toute idée de cauchemar. Car dans les rêves l'espace n'est plus une catégorie de l'esprit, il n'a d'autre réalité que celle des images qui le révèlent, et celles-ci ne sont pas, comme n'importe quel fragment isolé d'espace réel, plongées dans le vide, lequel n'abolit pas la notion de continuité, mais dans le non-être. Il en est ainsi « du temple de l'Impudeur » au moment où commencent à tomber les bombes et à retentir les sirènes. Que Proust le situe dans une rue de Paris n'y change rien : sa vision de l'espace le transporte dans le néant. Quant à la cour de l'hôtel de Guermantes, que traverse lentement le baron bedonnant, certes, sa porte-cochère donne sur une rue où il y a des boucheries et des crèmeries, où le matin passent la marchande de quatre saisons, le marchand d'habits, le chevrier ; et cette rue se trouve dans un vieux quar-

tier aristocratique (24). Ces précisions progres-
sivement fournies au cours du récit, suffisent-
elles pour composer un espace rationnel, l'espace
de la vie, pour communiquer une impression de
contiguïté entre la cour et ce qui l'environne ?
Peut-être, dans certaines pages du *Côté de Guermantes,* trop rarement en tout cas pour que la
configuration des lieux se fixe dans l'esprit du
lecteur. Celui-ci n'a conscience de la cour où se
produit la « conjonction Charlus-Jupien » que
comme d'un décor de théâtre où ne sont repré-
sentés que les éléments indispensables à l'action, et au-delà duquel *il n'y a rien.* De plus, ce
décor, déjà simplifié au maximum, pourrait à la
limite coïncider avec sa fonction, qui est de
cacher et de découvrir les uns aux autres les
personnages qui s'y trouvent.

La scène proustienne, comme celle des classiques, est un lieu de rencontres, ou, comme celle
de l'opéra et du music-hall, un lieu de rassemblements. Ceux-ci, nous l'avons vu, sont parfois
la projection sur un écran de poésie et de rêve
du cérémonial mondain. Plus près de la réalité,
nous les retrouvons dans les centaines de pages
qui relatent les réceptions données dans l'une ou

---

(24) Cette rue et ce quartier, ainsi que l'hôtel de
Guermantes, n'ont certainement pas été imaginés
d'après un modèle unique. Proust a même songé à utili-
ser des cartes postales représentant de vieux hôtels
d'Aix-en-Provence.

l'autre des maisons que fréquentent les personnages de la *Recherche* : soirée chez la marquise
de Saint-Euverte, matinée chez Madame de Villeparisis, dîner chez les Guermantes, soirée musicale chez les Verdurin, etc. Les lieux où l'on célèbre les rites décevants du snobisme et de la mon-
danité sont rarement décrits. Ce n'est que dans
le salon de Madame Swann que la densité du
détail (murs, meubles, tapis, fleurs) oppose un
semblant de résistance à la fuite sans direction
du regard. Ailleurs, chez la princesse de Guermantes, ou à la Raspelière, l'espace est à tel
point ouvert et fluide que les êtres qui l'animent
paraissent, comme les gares, comme les saisons,
ne pas pouvoir occuper une place déterminée les
uns par rapport aux autres. Tout n'est qu'appro-
ximation et conjecture, donc incertitude, dans
ce cadre conventionnel subrepticement brisé, ou
plutôt dissout.

L'ubiquité et l'invisibilité du narrateur, qui
médite beaucoup mais parle à peine quand il va
dans le monde, contribuent à entretenir l'illusion d'un espace sans coordonnées, aux portions
interchangeables ou qui s'entrepénètrent. Chez
Madame de Villeparisis, bien que se poursuivant
à l'écart, tantôt dans une niche, tantôt dans un
salon attenant, on ne sait où exactement, les
propos qu'échangent M. de Norpois et Bloch sur
l'affaire Dreyfus n'en ont pas moins l'air d'être
mêlés à la conversation générale. Chez la prin-

cesse de Guermantes, en quittant le bal, le duc
de Guermantes arrête son frère, le baron de
Charlus, et lui parle pendant quelques instants.
La duchesse, en train de dire adieu à sa cousine, « entendait imparfaitement leurs paroles » (25). Mais le narrateur, qui pourtant se
trouve à côté d'elle, les entend très distinctement.
Quelles que soient les raisons, et elles sont nombreuses, qui expliquent ces entorses à la logique la plus élémentaire, la principale doit être
cherchée dans la volonté de Proust de créer un
espace en accord avec les principes de sa vision
particulière.

Principes c'est peut-être beaucoup dire, étant
donné que vision et démarche rationnelle sont
deux choses totalement différentes. Exception
faite des manifestes et autres ouvrages théo-
riques qui ravalent l'art au niveau d'une entreprise publicitaire, le chemin qui conduit d'une
esthétique nouvelle à une vision originale ne
passe pas par un ensemble élaboré de recettes
littéraires. Recettes dont l'expression intellectuelle, que de toute façon risquerait de dénaturer l'à peu près du langage, n'a nul besoin d'être
dégagée de la gangue informe du savoir-faire
artisanal. De là le peu d'intérêt que, somme
toute, présente la masse de considérations
abstraites qui encombre la seconde partie du

---

(25) R.T.P., Pléiade, II, 717.

Temps retrouvé. Ce petit traité d'esthétique rêvé
dans la bibliothèque du prince de Guermantes
tranche fâcheusement avec la modestie de
Proust ; assez banal en comparaison de l'œuvre
qu'il prétend annoncer ou couronner, il se veut
à la fois trop savant et trop poétique, alors que
le propre de la vision proustienne réside, au contraire, dans l'écart minime (et par là généra-
teur d'un si prodigieux dépaysement) qui la
sépare de la perception ordinaire. Univers romanesque et monde réel sont, musicalement parlant, à un quart de ton d'intervalle, mais cet
intervalle, comme durant certains états inter-
médiaires, à mi-chemin entre le sommeil et la
veille, l'infime décalage entre images et sensations dans la conscience déjà ou encore vacillante, est à l'origine des plus déroutantes illusions et, par surcroît, « du seul renouvellement
qui existe dans la manière de conter » (26). Le
pouvoir d'incantation, la beauté, cette beauté
« vague et obsédante » (27) que Proust aimait
tant chez Nerval, dérivent d'un éclairage de rêve,
ou de réveil, ou d'insomnie, et des « mystérieuses différences » (28) que l'esprit y découvre. De
ces différences elles-mêmes autant, sans doute,
que de « l'augmentation ou de la diminution de

---

(26) R.T.P., Pléiade, III, 124.
(27) *Contre Sainte-Beuve,* p. 165.
(28) R.T.P., Pléiade, III, 124.

l'intervalle » (29). Ceci s'applique spécialement
au temps, que Proust manie en magicien pour en
faire à peu près tout ce qu'il veut.

Comme il déploie moins de virtuosité apparente à le modeler, l'espace se trouve relégué au
second plan. Il n'y a pas, parallèlement à celle
du temps, de recherche de l'espace perdu et
jamais, sauf pour Combray et ses alentours, le
narrateur ne tente, par un effort de dépassement
des points de vue débouchant sur des fractions
d'étendue isolées et comme uniques, de le ressai-
sir dans sa totalité. C'est pourquoi la peinture
des clochers de Martinville constitue à la fois
un point de départ et un aboutissement, la découverte d'un enfant et le résumé ou le symbole d'un
long apprentissage du métier d'écrivain. Dans la
plupart des ouvrages de Proust, on constate, en
effet, une démarche presque identique : cette
impuissance, ou cette crainte, ou ce refus d'abor-
der un sujet (ou un objet) de front. Décrivant,
plutôt qu'un cercle, une spirale, figure qui lui
permet de varier sans cesse la distance de lui-
même à l'objet visé, il tourne indéfiniment
autour de lui, quitte à ne jamais l'atteindre, à
le rendre méconnaissable, à l'oublier et surtout
à le faire oublier au lecteur. L'hôtel de Madame
Desroches ? Il n'en est pas question dans le chapitre de Jean Santeuil qui s'intitule ainsi. L'af-

---

(29) *Ibid.*, III, 126.

faire Lemoine, elle, n'est qu'un prétexte, Sainte-Beuve, une cible assez obliquement disposée, Ruskin un foyer lointain, le crime d'Henri van Blarenberghe une tache indiscernable, les matinées et les soirées de la Recherche des noyaux évanescents. Quant au sujet d'*A la Recherche du Temps perdu* — le temps étant tout de même autre chose, la matière et la charpente du roman — comment le définir ? Est-ce l'histoire d'une « vocation invisible » ou d'une trop visible malédiction ? Est-ce même l'histoire d'une vie ?

L'incertitude ramène au problème de l'espace et, inversement, celui-ci installe le lecteur dans l'incertitude. La perspective extra-temporelle, conçue pour récupérer définitivement et unifier la multitude des moments *perdus*, ne parviendrait à rendre son intégrité et sa solidité à l'espace, à réunir ses morceaux égarés dans le rêve, que grâce à une extrapolation purement intellectuelle, gratuite, dont nous ne retrouverions ni l'équivalent, ni même la trace dans l'impression totale qui se dépose en nous au fil des pages. Dans le train de Balbec, le narrateur passe son temps « à courir d'une fenêtre à l'autre pour rapprocher, pour rentoiler les fragments intermittents et opposites de (son) beau matin écarlate et versatile et en avoir une vue totale et un tableau continu ». Hors du temps, cette course, mais vertigineusement accélérée, du spectateur parmi les aspects multiples et contradictoires

d'un même spectacle, devrait permettre, semble-
t-il, de rajuster et recoller les fragments épars de
l'espace. Il n'en est rien : les abstractions n'ont
pas de prise sur les rêves. Et comme le devoir de
l'archéologue est de conserver intactes les ruines qu'il exhume, le nôtre est de respecter les
visions et les fantômes qui traversent l'œuvre du
romancier, sans chercher à leur en substituer
d'autres, lesquels, tout en satisfaisant mieux
peut-être aux exigences de l'esprit, ne manque-
raient pas de diluer, ne fût-ce que rétrospective-
ment, l'atmosphère particulière du roman. Celle-
ci dérive des lieux concrets que Proust a imaginés, de l'éclairage destructeur — comme le clair
de lune qui brise le bureau du Télégraphe (30) —
sous lequel il nous les montre et non d'une théorie de l'espace artificiellement déduite de sa philosophie du temps.

On a parlé, à propos de la *Recherche,* d'im-
pressionnisme littéraire, ou, en variant les termes, de « pointillisme psychologique » ou d'« his-
tologie poétique » (30 bis). Ces formules résu-
ment une manière, une technique, elles ne rendent pas compte de la vision. Car aucune vision

(30) Cf. R.T.P., Pléiade, I, 114.
(30 bis) Tout récemment, M. Georges Poulet, dans la
conclusion d'une série d'articles consacrés à l'espace
proustien, se contente d'employer le terme beaucoup
plus simple, et plus juste d'ailleurs, de *juxtaposition.*
(Pour la manière de construire l'espace).

authentique, inimitable, ne peut se traduire en
langage intellectuel. Proust l'a si bien compris
que, lorsqu'il analyse l'œuvre des écrivains et des
peintres qu'il admire, bien qu'uniquement préoc-
cupé de l'essence de leur art, il s'attache d'habitude à souligner le détail concret, presque matériel : lieux élevés chez Stendhal, jour doré chez
Rembrandt, etc. Il n'eût pas procédé autrement
s'il avait consacré une étude critique à son propre roman. Parlant de l'espace, et de sa ressemblance avec celui du rêve, il aurait peut-être
relevé, parmi tant d'autres détails qui se répè-
tent, car ce sont ceux-là qu'il estimait les plus
significatifs, les chambres-prisons ne communi-
quant avec l'extérieur que par une raie de
lumière visible sous la porte ou au-dessus des
rideaux tirés (31), les salons sans murs, volumes
changeants qui ne contiennent que des personnes, un faubourg Saint-Germain la plupart du
temps réduit à une cour et à une porte cochère,
les pays dont la carte se fait et se défait comme
un puzzle insoluble, ou encore, prenant le pays

---

(31) Le leitmotiv de la raie de lumière qui établit la
minime et angoissante communication entre le malade,
ou plutôt « l'étrange humain » qui vit comme un hibou,
et le monde extérieur revient fréquemment : R.T.P.,
Pléiade, I, 4 ; II, 390, 729, 784, 982, 1020 ; III, 9, 388-
389, 479. Voir surtout III, 482 : « le même petit jour que
je voyais au moment où je venais de quitter Albertine (...) venait tirer au-dessus des rideaux sa lame
maintenant sinistre... »

dans leur réseau mouvant, les vagues itinéraires, indécis comme notre cheminement dans les profondeurs du sommeil.

Cette énumération, pour incomplète qu'elle soit, a cependant l'avantage de situer la représentation de l'espace et les problèmes qu'elle soulève dans le cadre qui leur convient. Car c'est la création plutôt que la conception, les inventions plutôt que les intentions qui donnent à l'auteur de la *Recherche du Temps perdu,* poète du doute et de la dispersion, sa place unique dans l'histoire du roman.

LE PROBLEME DE LA CHRONOLOGIE DANS
« A LA RECHERCHE DU TEMPS PERDU »

> « *Sa poésie consiste en une suite*
> *ininterrompue de tours de cartes,*
> *de vitesses et de jeux de glaces* » (1).

A première vue, l'étude systématique de la
chronologie des événements dans *A la Recherche du Temps Perdu* semble devoir être une
entreprise fastidieuse et entièrement négative.
Qu'on admette avec M. G. Poulet que « le monde
proustien est un monde en lui-même anachronique, sans feu ni lieu, errant dans la durée
comme dans l'étendue » (2), ou, au contraire,
avec Mlle G. Brée que les incompatibilités de tout

---

(1) Jean Cocteau, *La voix de Marcel Proust,* dans
Hommage à Marcel Proust (Gallimard, 1927), p. 78.
(2) G. Poulet, *Etudes sur le temps humain* (Plon,
1950), p. 367.

ordre qui émaillent l'œuvre de Proust sont
« explicables par les circonstances qui ont présidé
à sa composition et à sa publication » et que « ce
serait un contre-sens d'en chercher une justification esthétique » (3), dans un cas comme dans
l'autre une tentative de ce genre sera dénuée
d'intérêt et d'avance vouée à l'échec. L'article
Que M. Willy Hachez a consacré à ce problème (4), en fournit d'ailleurs une preuve écla-
tante. Ses conclusions, un peu hâtives, n'appor-
tent strictement rien, rien de nouveau, ni sur la
genèse, ni sur la structure, ni sur la signification de la *Recherche*. On ne voit vraiment pas à
quelle nécessité répondent des tableaux chrono-
logiques qui établissent (mais en s'appuyant sur
quoi ?) que Françoise est née en 1840, que le
voyage du narrateur à Venise a eu lieu en 1903,
etc.

D'une part, l'erreur consiste à prétendre
découvrir un ordre sous un désordre dont il
s'agit avant tout de rechercher les causes. Car de
deux choses l'une : ou bien Proust a choisi de ne
pas tenir compte du temps des horloges et des
calendriers et alors il n'y a pas lieu de s'ingé-

---

(3) G. Brée, *Du temps perdu au temps retrouvé* (Les
Belles Lettres, 1950), p. 21.
(4) W. Hachez, *La Chronologie et l'âge des personnages de A la Recherche du temps perdu*, dans le Bulle-
tin de la Société des Amis de Marcel Proust, N° 6
(1956), pp. 198-207.

nier à le réintroduire dans le récit ; ou bien les
multiples remaniements qu'il a fait subir à ses
manuscrits sont à l'origine de la plupart des
contradictions qui figurent dans la version définitive et dans ce cas, pour arriver à des conclusions valables, il faudrait disposer d'une chronologie exacte et minutieuse des états successifs
du texte. Or il n'est guère probable qu'un tel travail puisse jamais être mené à bien (5).

D'autre part, ignorer ou minimiser l'importance des anachronismes, comme le fait
M. Hachez, conduit forcément à une simplification abusive de l'énigme que nous propose la
chronologie d'*A la Recherche du Temps perdu*.

Enigme en effet, puisque, nous le verrons plus
loin, pris séparément ou ensemble, la relativité
du temps, le brassage des jours et des années
dans les couches profondes de la mémoire, les
défaillances de cette mémoire (6), les interpola-
tions de fragments et les déplacements de para-
graphes ne nous livrent pas le secret de son irré-
ductible et aberrante complexité.

---

(5) Cf. J. Nathan, *La Morale de Proust* (Nizet, 1953),
p. 299. M. Nathan consacre plusieurs pages de son
ouvrage au problème de la chronologie. Comme Mlle
Brée, il pense « qu'il est inutile de chercher une solution
à ce problème qui n'en comporte pas ». D'après lui,
Proust « n'a voulu qu'échapper au temps ». (Ibid., p.
239).
(6) Cf. Lucien Daudet, *Autour de soixante lettres de
Marcel Proust* (Gallimard, 1928), lettre XXIII, p. 143.

Presque chaque contradiction, chaque anachronisme, chaque interférence de chronologie,
dévoile un nouvel aspect du problème, ou tout
au moins le pose en termes différents. De sorte
que ces « incompatibilités de tout ordre » sont de
surcroît incompatibles avec l'idée d'un classe-
ment méthodique qui les rangerait sous des têtes
de chapitre commodes : oublis, confusions,
absences de raccord, amalgames de « séries différentes et parallèles » de souvenirs, interpola-
tions, etc. Elles présentent en outre l'inconvé-
nient d'apparaître tantôt dans la chronologie de
la fiction, à l'intérieur de laquelle les repères
fixes sont extrêmement rares, tantôt aux nombreux points de jonction de celle-ci avec la chronologie historique qui compose les fonds de
tableau et y déroule une succession de faits datés.
Enfin, le curieux mélange de présent réel et de
passé imaginaire, de fiction pure, de fiction autobiographique ou autobiographie fictive et d'autobiographie authentique finit par désorienter
complètement.

Cet incroyable enchevêtrement, masqué par
la virtuosité du romancier, la clarté de son style
et l'habitude des lectures fragmentaires (7), ne
nous laisse pas le choix de la méthode et du plan.
Nous nous bornerons à analyser les contradictions les plus frappantes de la chronologie du

---

(7) Cf. Paul Valéry, *Variété*, p. 172.

roman en essayant chaque fois d'en découvrir
ou d'en conjecturer la justification matérielle,
esthétique, psychologique ou même pathologique.
Chemin faisant nous aborderons à plusieurs
reprises la question des rapports entre la chronologie (ou l'absence de chronologie) et le temps
proustien et celle, en apparence si futile, de
savoir si à côté des anachronismes dus aux
hasards d'une composition trop lente ou trop
rapide, trop concertée ou trop chaotique, il n'en
existe pas d'autres dont la raison d'être se rattache à quelque chose de plus vaste, de plus fon-
damental encore que le mécanisme de la mémoire involontaire : la nature morale du romancier et son appartenance à la « race sur qui pèse
une malédiction et qui doit vivre dans le mensonge et le parjure ».

I. — DU COTE DE CHEZ SWANN

La première partie de « *Du côté de chez Swann* » est tout entière enfermée dans l'univers poétique des souvenirs d'enfance. L'ordre de succession de ces souvenirs ne reflète que rarement, et même là d'une façon très subjective, celui des saisons et des années qu'il tente de restituer. Il n'est pourtant pas tout à fait impossible de retracer dans la masse d'impressions qui s'y superposent la ligne intermittente d'une chronologie. La technique de Proust, dans ce premier chapitre du roman, consistant déjà à poser de distance en distance, au détour d'une phrase, un repère temporel, afin de permettre au récit, non de se dérouler entre ses jalons, mais plutôt de s'enrouler autour d'eux, la recherche de ceux-ci, car à la première lecture ils passent presque inaperçus, sera un premier pas indispensable dans l'élucidation de l'énigme chronologique.

La scène la plus lointaine de son passé qu'évoque le narrateur est ou semble être celle de la rencontre chez son oncle Adolphe de la « dame en rose ». Il est peu probable qu'à l'époque où a eu lieu cette visite Odette soit déjà Mme Swann. Mariée, elle ne passerait pas si ouvertement pour une cocotte et ne fréquenterait peut-être pas si librement un homme avec lequel son

mari s'est brouillé à cause d'elle (8). Or au
moment de la soirée, si dramatique pour le narrateur, que Swann passe dans le petit jardin de
Combray, Odette et lui sont mariés depuis un
certain temps, leur mariage devant vraisemblablement se situer dans l'intervalle qui sépare les
deux épisodes. De ceux-ci, le second — cette nuit
où pour la première fois la mère du narrateur
reste dans la chambre de son fils pour calmer
son angoisse —, revêt une importance exception-
nelle puisqu'il marque le début d'une longue
déchéance physique et surtout morale. Quel âge
a le narrateur lorsque se déclare cette maladie
nerveuse (9) dont l'abdication de la volonté restera toujours le symptôme le plus grave ? Dans
La Fin de la Jalousie, le héros, Honoré, se rappelle la tristesse qu'il éprouvait avant de s'endormir quand sa mère, au lieu de rester dans sa
chambre jusqu'à minuit, s'habillait pour aller
au bal. Il avait alors sept ans (10). Le narrateur,
lui, semble un peu plus âgé. Au cours de la nuit
où est commis cette espèce de péché originel de
faiblesse, sa mère, pour le consoler, lui lit quel-

---

(8) I, 312. Toutes les citations renvoient à l'édition
en trois volumes de la *Recherche du Temps Perdu,*
publiée dans la Bibliothèque de la Pléiade.

(9) «...cette maladie nerveuse étant peut-être une
cause et en tout cas un camouflage de la pédérastie.
(Priouré, *Proust et la musique du devenir,* p. 91).

(10) *Les Plaisirs et les Jours,* Gallimard, p. 266. Même
âge dans *Jean Santeuil* (I, p. 62).

ques pages de François le Champi, ce qui laisse
supposer qu'il s'agit d'un enfant de dix ans
environ, encore qu'une certaine précocité en
matière de lectures ait été beaucoup plus fréquente autrefois que de nos jours.

Ce livre est retiré d'un paquet où se trouvent
les autres romans champêtres de George Sand, le
tout formant le cadeau que la grand'mère du
narrateur a l'intention de lui offrir le lendemain
pour sa fête. Les séjours à Combray ayant lieu
pendant l'été et le nom du narrateur étant le
même que celui de l'auteur, la Saint-Marcel
arrive ainsi six mois en avance ou en retard sur
la date que lui assigne le calendrier. A quoi attribuer ce singulier déplacement ? A l'imprécision,
voulue ou involontaire, du souvenir ? Ce serait
par trop absurde. A une inadvertance ? Rien de
plus gratuit. Une autre hypothèse se présente à
l'esprit, à la fois plus attrayante et plus susceptible d'être vérifiée ultérieurement. Proust a
peut-être délibérément écrit fête à la place d'anniversaire pour éviter, à ce stade du roman, de
s'identifier avec son personnage (10 bis). Cette
identification, redoutée à tel point que, malgré
l'abandon du projet initial d'écrire son roman à
la troisième personne, Proust a continué d'utili-
ser toute une série d'artifices caractéristiques de

(10 bis) Il est fort peu vraisemblable que Proust ait
employé le mot de fête pour désigner l'anniversaire,
même si tel était l'usage dans la famille de sa mère.

cette forme de récit (11) ; cette identification,
sans laquelle pourtant l'œuvre dans son ensemble serait vide de sens et de vérité, il ne s'y rési-
gne de temps à autre — et encore en s'entourant
de quelles précautions, de quelles ruses ! — que
lorsque l'écart entre lui et son héros est devenu
suffisamment grand pour que même l'aveu bru-
tal soit placé, aux yeux du lecteur, sous le signe
de l'ambiguïté (12). Aussi n'est-ce que dans la
Prisonnière, et tout à fait incidemment, qu'est
mentionné le nom du narrateur, et cela sous une
forme des plus étranges, par laquelle Proust sug-
gère que l'identité nullement prouvée, entre le
héros et l'écrivain, dépend d'une décision arbitraire de ce dernier, décision qui du reste se
réduit à une simple hypothèse (13). Avant et
même après ce passage, bien que le nom de Marcel revienne encore trois fois dans un billet d'Al-

---

(11) Entre autres, l'omniscience et parfois l'ubiquité
de celui qui raconte, incompatibles avec l'emploi de la
première personne.
(12) Cf. III, 338 — L'incroyable expression qui
échappe à Albertine (me faire casser...)
(13) « Elle (Albertine) retrouvait la parole, elle
disait : « Mon » ou « Mon chéri » suivis l'un ou l'autre
de mon nom de baptême, ce qui, en donnant au narrateur le même prénom qu'à l'auteur de ce livre, eût fait :
« Mon Marcel », « mon chéri Marcel » (III, 75). A rapprocher d'un passage où le lecteur s'adresse à l'auteur
en ces termes : « ...laissez-moi, monsieur l'auteur, vous
faire perdre une minute de plus pour vous dire qu'il
est fâcheux que jeune comme vous l'étiez (ou comme
l'était votre héros s'il n'est pas vous)... » (II, 651).

4

bertine au narrateur (14), on a l'impression que
Proust cherche à mettre en relief l'anonymat de
celui qui dit *je* (15). De sorte qu'on peut se demander si en composant *Du Côté de chez Swann,*
Proust songeait déjà à donner, fût-ce aussi furtivement, un nom à son double. Rien n'est moins
certain. Tout porte à croire que son dessein a
été de sauvegarder aussi longtemps que possible l'anonymat du narrateur et, parallèlement,
de laisser planer un doute perpétuel sur son âge.

Un troisième point de repère qu'on parvient
à isoler dans la trame si dense du récit est l'année des asperges et de la fille de cuisine enceinte
qui rappelle la Charité de Giotto (16). Le narrateur lit maintenant Bergotte et connaît la *Nuit
d'Octobre,* alors que, peu avant le soir de la visite
de Swann, le père du narrateur avait traité de
folle sa belle-mère parce qu'elle avait pensé offrir
les poésies de Musset à son petit-fils. On peut en
conclure que celui-ci est dans sa treizième ou sa
quatorzième année. Il fréquente déjà le collège
où il s'est lié avec Bloch, un camarade un peu
plus âgé qui l'initie aux mystères de la littérature et de la nature féminine. La révélation de
Bloch sur la légèreté des femmes (17), on la
retrouvera plus tard dans *A l'Ombre des Jeunes*

---

(14) III, 157.
(15) Cf. I, 403 ; II, 137, 824 ; III, 115, 929.
(16) Cf. I, 58, 80, 109, 121, 124.
(17) I, 93.

filles en fleurs (18), ce qui paraît indiquer une amorce, mais rien qu'une amorce, d'amalgame entre les derniers étés de Combray et l'époque de l'amour pour Gilberte. Le commencement de celui-ci est le quatrième jalon sur l'itinéraire de l'enfance. En effet entre l'année des asperges et celle de l'apparition de Gilberte dans le raidillon de Tansonville il doit y avoir un intervalle d'au moins un an. L'été de la fille de cuisine enceinte et persécutée par Françoise, pendant qu'il lit un roman de Bergotte, le narrateur est dérangé par Swann qui vient voir ses parents (19). Mais l'été du « raidillon », tante Léonie est la seule personne de la famille que Swann demande encore à voir (20).

L'automne où le narrateur et ses parents viennent à Combray pour la succession de tante Léonie (21) nous conduit au terme de ce voyage à travers le paradis perdu. C'est aux promenades de cet automne-là (22) que s'associe, dans le souvenir du narrateur, « une impression ressentie aussi auprès de Montjouvain quelques années plus tard ». Il s'agit de la scène de sadisme dont Mlle Vinteuil et son amie sont les protagonistes. A quelle époque se déroule cet épisode capi-

---

(18) I, 575.
(19) I, 97.
(20) I, 143.
(21) I, 153.
(22) I, 154.

tal ? Certainement avant, et même bien avant (23)
la rencontre, surprise dans des conditions à peu
près identiques, de Charlus et de Jupien dans
la cour de l'hôtel de Guermantes, rencontre à
laquelle la scène de Montjouvain devait sans
doute, primitivement, quand le personnage d'Albertine n'avait pas encore fait irruption dans le
récit, servir de repoussoir.

Etant donné le vague de l'expression « quelques années plus tard », il est impossible de
situer la scène avec davantage de précision. Elle
se rattache cependant à l'histoire de Vinteuil,
laquelle, considérée sous l'angle de la durée,
constitue un second élément de chronologie,
chronologie non de dates mais d'intervalles, propre à la fiction. Vinteuil nous est d'abord pré-
senté comme un homme d'une pudibonderie
excessive, qui cesse de venir chez les parents du
narrateur pour ne pas y rencontrer Swann
auquel il reproche son « mariage déplacé ». Sa
fille, à cette époque, est encore une enfant. Mais
l'année du « raidillon » Mlle Vinteuil entretient
déjà depuis on ne sait combien de temps des
relations coupables avec une amie plus âgée et
son père est en train de mourir de chagrin. Il
rencontre un jour dans la rue Swann et celui-ci

_____

(23) I, 608.
(24) Pour mieux camoufler l'âge de certains de ses
personnages, en commençant bien entendu par celui du
narrateur, Proust leur prête une étonnante disponibilité

lui demande d'envoyer sa fille jouer à Tason-
ville (24). « C'était une invitation qui, il y a deux
ans, eût indigné M. Vinteuil » (25). Ainsi, en toile
de fond, le temps se profile par endroits sous son
aspect accoutumé de grandeur mesurable, encore
que, faute de repères, on ne sache pas toujours
ce qui est mesuré. Il y a là comme une conces-
sion apparente dans laquelle on reconnaît sans
peine un des procédés classiques de la mystification, ou du roman dit réaliste : grâce à un seul
détail vrai, ou tout au moins précis, le menteur
et le romancier créent l'illusion de la cohérence
et de la crédibilité d'un fait pris dans sa totalité (26). Le goût de précision (« il y a deux ans »)

à la fois pour les jeux les plus naïfs (barres, furet) et
pour les complications psychologiques, voire les per-
versions les plus raffinées. — Cf. A. Feuillerat, *Comment Proust a composé son roman* (Yale University
Press), p. 41 ; R. Fernandez : *Proust* (1940), p. 60. Les
remarques de ces auteurs ne portent cependant que sur
le cas particulier du narrateur à l'époque des promenades aux Champs-Elysées. Celles de Feuillerat sont en
outre ou bien inexactes — le narrateur n'a pas atteint
sa majorité (I, 454) — ou bien très discutables.
    (25) I, 149.
    (26) « ...elle (Odette) ne se rendait pas compte que
ce détail vrai avait des angles qui ne pouvaient s'emboî-
ter que dans les détails contigus du fait vrai dont elle
l'avait arbitrairement détaché... » (I, 278) « ...car il y a...
cette absence de lien logique et nécessaire, qui, plus que
les faits qu'on raconte, est le signe de la vérité. » (III,
96).
    Aucun autre moraliste ou romancier n'est allé si
loin dans l'analyse du mensonge. Mais la lucidité a des
limites : bien qu'infiniment plus habiles, plus élaborés,

cautionne en quelque sorte la rigueur de composition. Des contradictions évidentes et, à plus
forte raison, celles qui résultent de recoupements avec d'autres parties du texte échappent
neuf fois sur dix au lecteur moyen.

Dans le passage où est relatée et commentée
la rencontre de Swann et de Vinteuil, Proust
écrit : « M. Vinteuil, à qui jusque-là il (Swann)
n'adressait pas la parole... » (27). Trente lignes
plus bas nous lisons ceci : « ...chaque fois qu'il
(Swann) venait de quitter M. Vinteuil... » (28).
Ce type de contradiction, complété pour ainsi
dire par la répétition d'une idée en termes presque identiques à quelques lignes ou pages d'intervalle, est trop fréquent aussi bien dans la
Recherche que dans les autres œuvres de
Proust (29) pour qu'on puisse le considérer
comme la conséquence fortuite de l'absence ou
de l'abondance des corrections. Pour ce qui est
de la mémoire de Proust, elle fonctionnait encore
admirablement à l'époque où fut rédigée cette
page, et même, selon la plupart des témoins,

les mensonges de Proust rappellent plus d'une fois ceux
d'Odette ou d'Albertine.

(27) I. 149.
(28) I, 149.
(29) *Contre Sainte-Beuve*, p. 296 (l. 7-11 / p. 296
(l. 35) — p. 297 (l. 3) ; p. 303 (l. 7-8) / p. 303 (l. 10-11).
Les Plaisirs et les Jours, p. 150 (l. 14) / p. 155 (l.
24-25).

tenait du prodige (30). Il serait pourtant absurde
de supposer que Proust ait pu sciemment introduire de semblables répétitions et contradictions
dans le texte du roman, ou qu'en se relisant il
n'ait pas cru nécessaire de les supprimer. S'il ne
l'a pas fait, c'est qu'il ne les remarquait pas,
affligé qu'il était de cette cécité psychologique
propre à ceux qui vivent sous l'empire des idées
fixes (30 bis). Idées fixes qui, chez lui, se confondent avec la matière de ses œuvres, depuis les
articles du Banquet jusqu'aux dernières pages du
Temps Retrouvé, et en font, même à un point
de vue strictement formel, un immense thème à
variations.

Le passage consacré au changement d'attitude
de Swann et de Vinteuil l'un envers l'autre est
surtout important parce qu'il contient le premier
terme d'une contradiction, laquelle, pour la première fois, nous fait pénétrer dans le labyrinthe
chronologique de *La Recherche du Temps Perdu*.
En quittant Vinteuil, Swann se rappelle qu'il a
« depuis quelques temps » un renseignement à
lui demander sur quelqu'un qui porte le même
nom que lui. Or, au début de son amour pour

---

(30) R. Dreyfus, R. de Billy, L. Daudet, J.E. Blanche,
G. de La Rochefoucauld, Henri Bardac, Benjamin Crémieux, etc. On ne peut comparer la mémoire de Proust
qu'à celle de Chateaubriand.

(30 bis) On la retrouve chez Rousseau, chez Stendhal (tous deux égotistes maniaques), avec des effets
souvent semblables.

Odette, chez les Verdurin, en entendant jouer la
sonate de Vinteuil, Swann se promet déjà de
demander à celui-ci de le mettre en rapport avec
son parent, auteur présumé de la sonate (31). Le
narrateur nous apprend d'autre part qu'à cette
époque Vinteuil est déjà très malade et que le
docteur Potain craint de ne pouvoir le sauver.
La conclusion qui s'impose, la seule qui paraisse
logique, est que les deux moments sont situés
très près l'un de l'autre sur la ligne du temps.
Mais une autre logique, plus simple et plus con-
traignante encore, intercale entre la première
audition de la sonate de Vinteuil et la scène au
cours de laquelle Swann invite Mlle Vinteuil à
venir jouer à Tansonville une période d'une quin-
zaine d'années. En effet c'est avant (32) ou vers
l'époque (33) de la naissance du narrateur que
commence la grande liaison de Swann (34) et
l'année du « raidillon », où Swann rencontre
Vinteuil dans la rue, les occupations et les pré-

------

(31) I, 214.
(32) I, 186.
(33) I, 194.
(34) G. Priouré, op. cit., p. 83 : « La liaison de
Swann et d'Odette se situe avant la naissance du narrateur, considéré naturellement comme personnage et
non comme auteur du roman, exactement un an après
le mariage de ses parents, selon une confidence de
Proust à Benoist-Méchin. » — Un critique de Proust, et
un des meilleurs, a néanmoins écrit cette chose incroyable : « L'épisode : *Un Amour de Swann* commence
trente ans (sic) avant la naissance de Proust... » (L.
Pierre-Quint, *Marcel Proust,* p. 160).

occupations de Marcel sont celles, nous l'avons dit, d'un garçon âgé de treize à quatorze ans. Proust a-t-il eu conscience de l'incomptabilité entre la chronologie d'*Un Amour de Swann* et celle du reste du livre ? Certains indices, dont il sera question ultérieurement, plaident en faveur de cette hypothèse. D'autres, au contraire, et parfois les mêmes, suggèrent que Proust, pour une raison qui n'apparaîtra que plus tard, n'a rien tenté pour arriver à une solution satisfaisante (satisfaisante pour le lecteur). Peut-être aussi, en admettant qu'à l'origine la fusion entre le récit à la troisième personne et les deux autres parties de *Du Côté de chez Swann* ait été moins étroite, moins nécessaire qu'elle ne l'est devenue ensuite dans la perspective élargie du roman achevé, le personnage de Gilberte, dont il n'est jamais fait mention dans *Un Amour de Swann* est-il partiellement responsable de cette rupture dans la chronologie. Quoi qu'il en soit, ce qui fait l'intérêt de cette contradiction, c'est qu'elle provient principalement de la difficulté qu'éprouve le lecteur, même le moins exigeant en matière de réalisme psychologique, à croire qu'un homme puisse systématiquement oublier, pendant quinze ans, de demander un renseignement auquel il attache de l'importance. S'agit-il seulement de l'insensibilité de Proust au temps, comme le pense à propos d'un détail analogue, un critique un peu trop pressé de tout démo-

lir (35) ? Bien que Lucien Daudet ait également
souligné l'« admirable ignorance du temps » de
son ami (36), le mot insensibilité ne convient que
bien imparfaitement ici. Les distractions réité-
rées de Swann se rattachent plutôt à l'*ajournement*, à la « procrastination » (37), qui est le
mode temporel sur lequel se déroule la vie du
narrateur. A force de décisions reportées, de pro-
jets tombés dans l'oubli ou restés en suspens, de
désirs dont la réalisation est perpétuellement
retardée, les instants se confondent et le temps
languit avant de s'immobiliser. Rien n'étant
accompli, tout peut se prolonger, tout peut
renaître. Peu importe que ce soit au bout d'un
mois, d'un an ou de quinze : à l'intérieur de ces
intervalles abstraits le temps est aboli. Aboli
pour soi et non pour les autres. Seulement,
Proust, comme son héros, se détourne de cette
vérité qui l'irrite. Entre le souvenir des événements, image de la réalité extérieure que la
vision subjective a le droit d'interpréter et de
dénaturer à sa guise et les événements eux-
mêmes, sur la simple existence et l'ordre desquels elle n'a aucune prise, on a plus d'une fois
le sentiment que le romancier ne sait ou ne veut
faire la moindre distinction. D'où cette curieuse
et d'ailleurs fascinante osmose entre le narrateur

(35) J. F. Revel, *Sur Proust*, p. 51.
(36) Lucien Daudet ; op. cit., p. 75.
(37) III, 513.

et certains personnages de son récit (osmose que
bien d'autres raisons expliquent, tout particulièrement en ce qui concerne Swann) ; de même
qu'entre la psychologie de ceux-ci et l'action
objective du roman.

Certes, dans les pages de *Combray*, l'action se
réduit à presque rien ; elles sont comme déles-
tées du poids des actes, aériennes, malgré leur
luxuriance ; et c'est pourquoi leur pouvoir d'incantation doit tant à l'absence de chronologie,
une chronologie trahissant toujours le passage
de l'être agissant. Rien n'exprime mieux la nos-
talgie qu'éveille en chacun de nous l'évocation
du passé que l'imprécision de certains complé-
ments de temps qui reviennent sans cesse : cet
été-là, cet automne-là, cette année-là, quelques
années plus tard, bien plus tard, il y avait des
années, etc... S'ils n'estompent pas complètement
la chronologie des événements, si peu nombreux
d'ailleurs, ils contribuent à les placer dans une
perspective ahistorique. Car plus encore que la
chronologie, c'est l'histoire qui est la grande
absente dans cette première partie du roman, la
seule qui ne relève en aucune manière de la
chronique, la seule aussi à laquelle la théorie littéraire du temps retrouvé soit entièrement applicable (38). Elle ne contient qu'un nombre infime

----

(38) Sur le rôle de cette théorie littéraire (scène de la
bibliothèque du prince de Guermantes), voir J. Nathan,
Op. cit., pp. 270-293.

de détails qui la situent historiquement : les relations de Swann (le prince de Galles, le comte de
Paris), quelques airs d'opéra, les lectures du narrateur, les acteurs et les actrices de théâtre auxquels il s'intéresse quand il commence à aller au
collège. Dans la liste de ces dernières on remarque le nom de Jeanne Samary, morte en 1890.
Faut-il en déduire que le narrateur est entré au
collège avant cette date ? Ce serait une preuve
supplémentaire qu'après avoir écrit *Un Amour
de Swann* Proust a établi la chronologie de l'ouvrage sur des bases nouvelles, sans pour autant
renoncer aux premières, ce qui lui a permis de
jouer sur deux tableaux et de mettre ces alter-
nances au service de sa duplicité.

Dans *Un Amour de Swann,* la situation sociale
du personnage principal, a conduit Proust à multiplier les allusions à la vie mondaine et artistique de l'époque. Cependant rien ne l'obligeait
à inscrire cette histoire d'amour dans les limites
de la présidence de Jules Grévy. Au lieu de nommer celui-ci (39), il aurait pu dire simplement
que Swann déjeune chez le Président de la Répu-
blique. Mais, obsédé par la peur de faire son
autoportrait, il lui fallait à tout prix masquer,
même en utilisant les procédés les plus naïfs, les
plus grossiers, les données autobiographiques
capables de le trahir. Sa date de naissance, par

---

(39) I, 216, 217.

exemple, il l'escamote en déplaçant d'une décade
environ celle de son héros. Comme la naissance
du narrateur intervient peu de temps après le
début de la liaison de Swann (40), c'est par référence à celui-ci qu'il est possible d'en fixer la
date approximative. Swann tombe amoureux
d'Odette après la mort de Victor Hugo, au cours
de l'hiver 1885-86. Cela aurait abouti à une chronologie absolument indéfendable devant laquelle
Proust lui-même a reculé. Si bien que dans la
version définitive les premières visites de Swann
chez les Verdurin ont lieu après l'enterrement
de Gambetta, c'est-à-dire pendant l'hiver 1882-
83. A peu près un an plus tard, Swann assiste
au mariage des parents du narrateur. Il s'en
suit que leur fils voit le jour au plus tôt en
1884, ce qui est absurde à bien des égards et en
tout cas incompatible avec sa présence au collège
en 1890.

Bien des détails de *La Recherche,* que nous
passerons en revue plus loin, prouvent d'une
façon irréfutable que Proust a composé son
roman en s'appuyant assez souvent sur sa propre chronologie, ou tout au moins sur une chronologie plus conforme, parfois superposable à
la sienne, et qui ne s'accorde pas avec les dates
d'*Un Amour de Swann.* Et pourtant ces dates, à
peine rectifiées, ont été conservées dans le texte.

------

(40) I, 186, 310.

Pourquoi ? Par mégarde, par manque d'intérêt
pour ce genre de contradictions, ou par une douloureuse nécessité de donner le change au lecteur ? Retenons pour l'instant que, dans une certaine mesure, la conception du temps chez
Proust, comme, dans un autre ordre d'idées, la
méthode critique préconisée dans *Contre Sainte-
Beuve,* semble être la sublimation d'une crainte
et d'un besoin constants de se livrer à travers le
personnage central du roman.

Que ce personnage soit provisoirement un
autre que le narrateur et que le livre revête plusieurs des caractères du roman d'analyse tradi-
tionnel, ne modifie pas sensiblement la structure
du temps. Les anachronismes sont rares et dus
au fait qu'après avoir remplacé sur les épreuves
l'enterrement de Victor Hugo par celui de Gambetta, Proust a laissé subsister dans le texte
d'autres détails se rattachant à la chronologie ini-
tiale. Par exemple, Odette lit en 1883 des poèmes
que Borelli n'a fait publier qu'en 1885 (41) et
assiste environ un an avant la date de la première à une représentation d'*Une Nuit de Cléo-
pâtre* (42). Par contre le désir de Mme Cottard
d'aller voir *Francillon* en 1882, ou même en
1885 (43), s'explique sans doute par une inadver-

---

(41) I, 241.
(42) I, 289.
(43) I, 256.

tance, Proust ne s'étant pas donné la peine de
vérifier la date de création de cette pièce.

Comme il est de règle chez Proust, beaucoup
plus que par des références précises à des événements datés, l'écoulement du temps est rendu
sensible par des notations de durée relatives aux
intervalles qui séparent les divers moments de
l'histoire racontée. Ces intervalles, parce que le
lecteur a tendance à les mettre bout à bout pour
obtenir la durée totale d'une action ou d'une
évocation psychologique, alors qu'en réalité ils
sont imbriqués les uns dans les autres et possè-
dent des parties communes plus ou moins éten-
dues, créent l'illusion d'un temps qui dépasse
considérablement en longueur la période qu'il
est censé mesurer. L'emploi, dans certains passages presque exclusif, de l'imparfait d'habitude,
traduction stylistique de cet univers de la répétition où se meut la pensée de Proust, contribue
pour sa part à renforcer cette illusion, le délayage
de l'instant, sa dilatation ou sa multiplication
sérielle pouvant atteindre des proportions énormes. Inversement, la façon dont est transcrite la
durée de certains intervalles, produit un brusque
effet de contraction du temps, accompagné d'un
sentiment d'invraisemblance qui oblige à recon-
sidérer la chronologie du récit. Ainsi Swann se
rappelle combien Odette avait été délicieuse en
regardant des photographies d'elle « d'il y avait

deux ans » (44). Mais plus loin, sans que le
temps ait cessé d'avancer, puisque maintenant
Proust décrit les sentiments de Swann au cours
de la soirée chez la marquise de Saint-Euverte,
on lit : « Mais depuis plus d'une année que...
l'amour de la musique était... né en lui,
Swann... » (45). Or le début de son amour pour
la musique coïncide avec celui de son amour
pour Odette, et, à l'aide de divers recoupements,
on peut établir qu'à ce moment (soirée Saint-
Euverte) ce dernier dure déjà depuis plus de
deux ans, peut-être trois. Il est piquant de cons-
tater, après avoir cherché à la justifier par une
distraction de l'auteur, par la subjectivité du
personnage qui se livre à l'introspection, etc...,
qu'au fond la contradiction n'existe pas. Mis à
part le fait que personne, ou presque, ne parle
ni ne pense ainsi, il faut reconnaître qu'il n'y a
pas d'objection logique à ce que l'expression
« depuis plus d'une année » signifie : depuis deux
ans, trois ans, ou davantage. Cette remarque est
également applicable à une notation telle que
celle-ci : « après avoir vécu plus de six mois en
contact quotidien avec moi (46), qui semble légèrement contredite par une autre, plus précise :

_____

(44) I, 292.
(45) I, 349.
(46) I, 289.

« depuis un an Swann n'allait plus guère que chez les Verdurin » (47).

L'ambuiguïté des locutions temporelles et le chevauchement des périodes qu'elles prétendent délimiter rendent la chronologie si incertaine que, pour la dégager du texte, il faut se contenter de simples conjectures. On parvient de la sorte, en tenant compte de toutes les indications de temps (le temps qui passe et le temps qu'il fait), à retrouver dans le « grand amour » de Swann les découpures d'une période de quatre à cinq ans, période qui s'arrêterait au plus tard en 1887, pendant l'été ou au début de l'automne de cette année (48). Il est vrai que si l'on fait abstraction de la correction qui fait reculer de trois ans l'époque du récit, celui-ci se termine en 1890. Mais cela est tout à fait secondaire. Ce qui importe, c'est que dans un cas comme dans l'autre, la chronologie d'*Un Amour de Swann* ne se raccorde pas à celle de *A l'Ombre des Jeunes Filles en Fleurs*. C'est pourquoi, peut-être, obnubilé par ses idées sur l'architecture sans faille d'*A la Recherche du Temps perdu*, B. Crémieux, étudiant les apparitions successives d'Odette a pu écrire ces lignes ahurissantes : « Voici d'abord la femme de Swann... qu'on entrevoit poser pour

---

(47) I, 258.
(48) Guéri de son amour pour Odette, Swann va rejoindre Mme de Cambremer-Legrandin à Combray (I, 381).

la première fois un jour de 1881 aux abords de
Tansonville, en compagnie de sa fille Gilberte... *Un Amour de Swann* nous reporte vers
1873... » (49). Assurément, cette chronologie-là,
parce que très proche de la sienne, est celle que
Proust aurait dû normalement adopter mais que
justement, par un choix délibéré, il n'a cessé de
brouiller, d'effacer, jusqu'à en faire disparaître
les traces. Pas toutes cependant, nous l'avons
déjà dit. Dans *La Prisonnière,* Charlus révèle à
Brichot et au narrateur qu'il avait lui-même pré-
senté Odette à Swann, pour se débarrasser d'elle,
à l'époque où elle jouait Miss Sacripant (50).
C'est dans ce travesti qu'Elstir avait fait le portrait d'Odette. A Balbec, dans l'atelier du peintre, le narrateur le voit. Au bas de la toile est
inscrite une date : octobre 1872 (51). Est-ce le
hasard qui a fait venir cette date, à première
vue si déconcertant, sous la plume de Proust ?
On dirait plutôt que, comme un metteur en scène
qui s'amuserait à tenir un rôle de figuration dans
son propre film, mais si éphémère, si insignifiant
qu'il ne risquerait guère d'y être reconnu, Proust
a voulu s'offrir la fantaisie de glisser parfois un
élément autobiographique non transposé dans le
récit (si le portrait est de 1872 la différence d'âge
entre le narrateur et l'auteur n'est plus que de

---

(49) B. Crémieux, *XX* siècle, p. 72.
(50) III, 299.
(51) II, 849.

deux ou trois ans), mais si indirectement révélateur, si habilement placé et noyé dans la masse
du roman qu'il en estimait sans doute le déchif-
frage exclu. De la même manière il mentionne
incidemment, d'habitude une seule fois, des noms
de lieux ou de personnes qui lui ont servi de
modèle : Illiers (I, 105), Cabourg (I, 360), Orléans
(II, 611), Charles Haas (II, 579), Mme Standish
(II, 611), Bertrand de Fénélon (II, 771), etc.
L'aveu, ou le demi-aveu, prend chez Proust les
formes les plus imprévisibles : une précision de
date peut devenir aussi compromettante que le
cou d'Albertine (52).

Une autre date, qui figure encore beaucoup
plus loin dans le texte, presque à la fin du roman,
donne une indication précise sur la chronologie
de la dernière partie *Du Côté de chez Swann.*
« Pour moi, du reste, écrit Proust dans *le Temps
Retrouvé,* elle (Mme de Forcheville) ne semblait
pas dire : « Je suis l'Exposition de 1878 », mais
plutôt : « Je suis l'allée des Acacias de 1892 » (53).
C'est donc vers la mi-avril de cette année-là,
après la mort de tante Léonie, survenue probablement l'automne de l'année précédente, que le
narrateur, à la veille d'un départ pour Florence

---

(52) La description succincte du cou d'Albertine
revient à plusieurs reprises : II, 364, 389, 1124 ; III, 77,
383, 531 — Il est vrai que Baudelaire aussi semble avoir
eu une prédilection pour les cous larges (le cou de «pro-
consul » de la Fanfarlo). Cf. le *Beau Navire, Allégorie.*
(53) III, 950.

et Venise tombe malade, puis, sous la surveillance
de Françoise, joue avec Gilberte aux Champs-
Elysées ou va se poster dans les allées du Bois
sur le passage de Mme Swann. D'après la chronologie de *Combray* le narrateur est maintenant
un adolescent ; celle d'*Un Amour de Swann* le
rajeunit de sept ou huit ans ; quant à Proust il
était, au printemps 1892 tout près de la majorité.
Il est difficile, malgré les preuves matérielles, les
placards Grasset notamment, de suivre Feuillerat lorsque, après avoir posé en principe que
seules les additions sont responsables de la discontinuité du roman (54), il affirme que l'enfant
qui joue aux barres s'est transformé dans la version définitive en un jeune homme libre de ses
actes et par conséquent majeur. En fait, à partir
d'ici, le narrateur est un personnage double, ou
triple, toujours équivoque, mûr et puéril, pré-
coce et attardé, dont l'âge varie constamment
entre des limites incertaines. Ces variations sont
commandées par deux démarches complémentaires, tantôt successives, tantôt simultanées :
l'âge de l'auteur se substitue à celui du narrateur soit en fonction de la chronologie chan-
geante du récit (en 1891-1892 Proust a vingt ans),
soit en fonction d'un événement quelconque,
c'est-à-dire du contenu de l'action (c'est à l'âge
de neuf ans que Proust a sa première crise d'as-

---

(54) A. Feuillerat, op. cit., p. 109.

thme, devenue accès de fièvre dans le livre ;
c'est aussi à peu près à cet âge qu'il joue aux
Champs-Elysées avec Marie et Nelly de Berna-
daki, Gabrielle Schwartz et Jeanne Poquet). Si,
pour toutes ces raisons, l'âge du narrateur reste
hypothétique on connaît celui de Gilberte par M.
de Norpois, qui, l'ayant rencontrée chez les
Swann, lui donne quatorze ou quinze ans (55).
Mais l'âge de Gilberte n'apporte aucune lumière
nouvelle sur la chronologie. Par contre, la conversation prétentieuse de l'ambassadeur, toujours axée sur l'actualité politique et diplomatique, contient quelques allusions à l'histoire des
années 90 qui permettent de situer dans un cadre
relativement fixe les faits relatés dans *A l'Ombre
des Jeunes Filles en Fleurs*.

---

(55) I, 476.

II. — A L'OMBRE DES JEUNES FILLES
EN FLEURS

La chronologie de *A l'Ombre des Jeunes Fil-les en Fleurs* est dans l'ensemble assez claire. C'est dans les tout derniers jours de décembre que le narrateur va enfin entendre la Berma dans *Phèdre*. Ce même jour les parents du narrateur ont pour la première fois M. de Norpois à dîner. Des propos qui s'échangent à table se dégagent deux faits certains : Guillaume II a déjà chassé Bismarck (56), le comte de Paris (Philippe VII) est encore vivant (57). Ce dîner a donc lieu au plus tôt à l'approche du premier janvier 1891 et au plus tard à la veille du premier janvier 1894. A l'aide d'un simple recoupement avec l'indica-tion donnée par Proust dans le *Temps retrouvé* (promenades dans l'allée des Acacias en 1892), on peut facilement établir que le 1er janvier dont il sera question bientôt (58) est celui de l'année 1893. Un autre jour de l'an (sur les routes enche-vêtrées du temps les jours serviront désormais de jalons autant et plus encore que les saisons et les années) est évoqué plus loin (59). En se rap-pelant alors le premier, celui où le nom de la Berma s'étalait sur les affiches de théâtre, le nar-

---

(56) I, 464.
(57) I, 471.
(58) I, 486.
(59) I, 608.

rateur s'exprime en ces termes : « ... cette
ancienne semaine du jour de l'an... cette triste
semaine déjà lointaine... au temps de cet ancien
1ᵉʳ janvier... » (60). Mais la conception subjecti-
viste de Proust dans laquelle sont inclus tous les
aspects du souvenir affectif, nous interdit de
mesurer les distances dans le temps avec la signification essentiellement variable de mots comme
ancien et lointain. Ici, néanmoins, on peut fixer
à deux ans le temps écoulé entre les deux dates.
En effet, le narrateur, encore en excellents termes avec Gilberte, accompagne celle-ci et ses
parents au théâtre, au concert, chez les marchands de tableaux. Ceci se passe pendant « les
derniers jours d'hiver » (61). C'est également
l'hiver, au mois des chrysanthèmes, novembre
ou décembre sans doute, qu'ont lieu, après la
rupture avec Gilberte, les visites du narrateur
chez Swann. Comme d'une part la logique et la
psychologie s'opposent à ce que les deux hivers
n'en fassent qu'un seul et que d'autre part le premier arrive au terme d'une si longue évolution
des rapports entre le narrateur et les Swann,
fille et parents, qu'il est tout à fait improbable
qu'il s'agisse de celui qui fait suite au dîner
avec M. de Norpois, il semble presque certain
que le second premier janvier, anniversaire

---

(60) I, 588-589.
(61) I, 544.

mélancolique de l'autre, inaugure l'année 1895.
Pourtant le premier hiver est aussi celui où le
narrateur rencontre pour la première fois Bergotte chez les parents de Gilberte. « Je lui racon-
tais, lit-on dans ce passage, que j'avais entendu
récemment la Berma dans Phèdre... » (62). Normalement on ne qualifie pas de récent un événement survenu dix ou qinze mois plus tôt, surtout
quand on est encore très jeune. Pour comprendre l'emploi inusité de « récemment » il faut
faire intervenir la structure mentale du narrateur. La « procastination » règle ou dérègle à tel
point tous les rouages de la perception du temps
que non seulement elle interpole des parcelles du
passé dans le présent ou les projette illusoire-
ment dans l'avenir, mais qu'elle opère par surcroît de la même façon, sans cependant aller jusqu'à la projection dans le futur, sur l'acte réalisé,
qu'elle tend à absorber dans le présent. A considérer l'ampleur et la finesse de ces mécanismes
de permutation, on s'aperçoit combien il serait
vain de vouloir reconstruire une chronologie à
partir d'éléments de langage interchangeables
comme récemment et il y a longtemps, proche et
lointain, bientôt et bien plus tard, etc. : chez
Proust jadis et naguère sont synonymes.

Théoriquement illimité, le pouvoir déformant
de la vision subjective ne s'étend toutefois à

_____

(62) I, 560.

l'histoire que lorsque la subjectivité devient du
maniérisme à l'état pur ou une manifestation
morbide. S'agissant d'un écrivain aussi lucide que
Proust, qui, par delà ses propres particularités,
cherchait à atteindre le général, le vrai, même
l'éternel, ni l'esthétisme ni la pathologie (63), en
tant que données primordiales d'une création
artistique, ne sauraient entrer en ligne de compte.
Certes, vis-à-vis de ses lecteurs, de la critique,
peut-être de lui-même aussi, Proust a par
avance justifié, ou cru justifier, tous les anachronismes qui émaillent son roman. « Souvent,
écrit-il, dans l'une (une saison) on trouve égaré
un jour d'une autre, qui nous y fait vivre... en y
plaçant plus tôt ou plus tard qu'à son tour ce
feuillet détaché d'un autre chapitre... » (64). Avec
plus de netteté encore : « ...notre mémoire ne
nous présente pas d'habitude nos souvenirs dans
leur suite chronologique, mais comme un reflet
où l'ordre des parties est renversé... » (65). Ailleurs, c'est dans la vie elle-même, assujettie à la
mémoire, que se manifeste cette réversibilité du
temps : « notre vie étant si peu chronologique,
interférant tant d'anachronismes dans la suite

---

(63) Ne sont pathologiques chez Proust que la
méfiance et la rouerie, plus ou moins liées au complexe
d'infériorité du type d'inverti qu'il peint, et pour cause,
dans *A la Recherche du Temps perdu.*
(64) I, 386.
(65) I, 578.

des jours... » (66). Tout cela est incontestable
mais uniquement dans le champ de la psychologie individuelle. Le narrateur, à Balbec, peut fort
bien avoir le sentiment de vivre dans les jours
« plus anciens que la veille ou l'avant-veille » où
il aimait encore Gilberte ; il est impuissant à les
« interpoler » dans l'été normand de façon à rendre Gilberte magiquement, c'est-à-dire objectivement présente au bord de la mer. C'est pourtant ce qui arrive chaque fois que, inséré dans
la fiction, tel ou tel événement daté, devenant
fable ou rêve tout à coup, occupe dans le temps
une place qui n'est pas la sienne. Que Mme Cottard, en 1882 ou 1885, demande à Swann s'il a vu
Francillon est après tout une de ces erreurs insi-
gnifiantes que n'importe quel autre romancier
aurait pu commettre. Mais que dire de la décision du gouvernement d'envoyer à la princesse
Mathilde « une invitation pour assister dans les
tribunes à la visite que le tsar Nicolas devait
faire le surlendemain aux Invalides » (67) ? Mme
Swann annonce cette nouvelle à la princesse en
la rencontrant au cours d'une promenade au Jardin d'Acclimation. L'épisode, selon toute vraisemblance, se situe en 1894, et la visite de Nicolas II n'a eu lieu qu'en octobre 1896 (68). Cette

_____

(66) I, 642.
(67) I, 543.
(68) Dans une lettre à Gide (*Lettres à André Gide*, p.
63) Proust écrit : « Je voudrais retrouver un vieux

contradiction n'est pas la seule. Swann dit :
« J'ai rencontré Taine qui m'a dit que la princesse était brouillée avec lui » (69). Taine est
mort en 1893 et l'article sur l'Empereur qui l'a
brouillé avec la princesse Mathilde est de 1887.
Comment expliquer cette accumulation d'anachronismes ? Dans l'index des noms de personnes de l'édition en trois volumes établie par
MM. Clarac et Ferré, on trouve, au sujet de ces
incompatibilités, la remarque suivante : « Proust,
on le sait, joue avec le temps » (70). Encore
faut-il savoir en quoi consiste ce jeu et quelle est
sa raison d'être. Dans l'univers romanesque de
Proust le temps, ainsi que les décors, les personnages, les situations, est une synthèse, une résul-
tante ; chaque année, chaque jour se présente
comme un édifice homogène pour le lecteur, mais
vacillant et complexe pour le critique averti, bâti
avec des matériaux empruntés à des dizaines
d'années, à des dizaines de jours. Dans un monde
conçu de cette manière, les objets et les êtres, les
instants et les lieux ont pour caractéristique com-
mune de se dérober toujours, d'être ici et là, ceci

---

livre de moi, écrit presque tout entier pendant que
j'étais encore au collège, et imprimé vers 1893. » On
sait que ce livre, *Les Plaisirs et les Jours,* a été publié
en 1896. Il est parfaitement légitime de faire le rapprochement entre cet anachronisme et celui concernant la
visite du tsar aux Invalides.
(69) I, 542.
(70) III, 1241.

et cela en même temps. Assurément, Proust joue
en virtuose génial avec les formes et les images
qu'il invente ou transpose ; mais en se livrant
à ce jeu de reflets, d'apparences, d'illusions il se
joue surtout du lecteur. Car celui qui se déguise,
qui se dérobe, qui fuit éperdument, n'est autre,
partout, que le romancier lui-même.

On saisit mal d'abord, ou l'on ne saisit pas
du tout, le rapport entre la désinvolture avec
laquelle Proust disperse dans le temps le moment
unique d'un personnage réel comme la princesse Mathilde, ou, si l'on veut, amalgame dans ce
moment unique tant d'autres extraits d'époques
différentes, et le besoin de se dissoudre lui-même
dans le temps, de se rendre omniprésent, par
conséquent invisible. Quelle raison esthétique ou
philosophique a pu pousser un artiste si scrupu-
leux, si avide de précision, capable de réveiller
quelqu'un en pleine nuit pour lui demander un
renseignement, à montrer son talent dans des
exercices si stériles et, pour comble d'absurdité,
au moment de camper un personnage réel, un
personnage de « mémoires » (71) ? C'est peut-être
justement parce qu'il avait fréquenté le salon de

---

(71) D'autres personnages réels introduits dans le
roman (Dieulafoy, la reine de Naples, Céleste) posent
des problèmes d'un ordre très différent, par exemple
celui du choix de ces personnages ou encore celui, bien
plus vaste, de l'influence grandissante de Balzac sur
l'auteur de la *Recherche*.

la princesse Mathilde et qu'il avait écrit un article sur elle que Proust n'a pas osé la mettre en
scène autrement qu'enveloppée dans un brouil-
lard d'années condensées en une seule, la crainte
de se démasquer, d'assumer même indirectement la responsabilité du temps vécu (72), l'em-
portant presque toujours chez lui sur la passion
de la vérité et l'acculant à ce mensonge énorme
et génial dans lequel la postérité a vu surtout, à
juste titre d'ailleurs, seule la misère morale étant
susceptible de pareilles métamorphoses, un
renouvellement complet de la forme du roman.
Cette révolution littéraire, fruit du mensonge,
Proust l'a sans doute pressentie et peut-être, en
partie tout au moins, consciemment recherchée.
« Le mensonge, écrit-il, le mensonge parfait, ...le
mensonge sur ce que nous sommes, sur ce que
nous aimons, ...ce mensonge-là est une des seules
choses au monde qui puisse nous ouvrir des perspectives sur du nouveau, sur de l'inconnu...» (73).

La promenade au jardin d'Acclimation n'est
qu'un épisode secondaire. La chronologie, quelque nébuleuse qu'elle soit, reprend ses droits.

---

(72) Ce point de vue ne s'apparente ni de près ni de
loin à celui de M. J.-P. Sartre, qui pense, à tort croyons-
nous, que le refus de Proust d'accepter sa condition
d'inverti s'exprime surtout par des plaidoyers en faveur
des anormaux.
(73) III, 216.

Deux ans après (74) un mois de mai (75) qui, suc-
cédant au second jour de l'an, doit être celui de
l'année 1895, le narrateur part avec sa grand'
mère pour Balbec. Le premier séjour à Balbec se
place donc entre août (76) et octobre 1897, date
corroborée par cette remarque d'Aimé au sujet de
l'affaire Dreyfus (il croit Dreyfus « mille fois
coupable ») : « On saura tout... pas cette année,
mais l'année prochaine » (77).

Une des plaisanteries traditionnelles du père
Bloch à cette époque, et que son fils répète à ses
amis, a trait à la guerre russo-japonaise (78).
Dans *le Côté de Guermantes*, Bloch la ressert
maladroitement à Mme de Villeparisis (79).
Comme Proust n'ignorait certainement pas que
la guerre russo-japonaise avait commencé quelques années après la première révision du procès Dreyfus, l'anachronisme pourrait s'expliquer

------

(74) I, 642.
(75) I, 635.
(76) II, 124.
(77) I, 806.
(78) I, 769.
(79) II, 220 — Deux autres allusions à la guerre
russo-japonaise (II, 331, 474) relèvent des connaissances et de l'expérience de l'auteur au moment où il rédige
et non de celles du narrateur et des autres personnages au moment où ils vivent engagés dans le temps du
roman. Ainsi qu'un certain nombre d'autres détails, par
exemple un court fragment sur le procès Landru (III,
205), une allusion à Salomé de Richard Strauss (II, 449),
une autre à l'abdication de Constantin de Grèce (III,
845), elles ne sont donc nullement anachroniques.

par la refonte générale de *A l'Ombre des Jeunes Filles en Fleurs* après la cristallisation du personnage d'Albertine (de toute évidence postérieure à la mort d'Agostinelli) et l'abandon d'un plan primitif comportant trois séjours à Balbec. Sans écarter cette hypothèse, notons cependant que la plupart des anachronismes d'*A la Recherche du Temps Perdu* résultent, si paradoxal que cela puisse paraître dans un livre qui se veut une quête du passé, d'une fuite en avant, d'un *mouvement d'anticipation* qui va en s'amplifiant à mesure que progresse le récit et qui n'est qu'un autre aspect, l'image renversée, de la projection du passé dans l'avenir. Car l'anticipation, en supprimant l'attente, au lieu de le créer supprime aussi l'avenir, ce que fait également, quoique d'une façon différente, la perpétuelle récurrence du « plaisir prorogé » et du désir inassouvi. Elle exprime le point de vue de celui qui sait et qui parle, non de celui qui vit, celui du spectateur ou du visionnaire doué d'omniscience et non celui de l'acteur enraciné dans son présent. Certes, Proust ne perdait pas une occasion de souligner que son œuvre était tout le contraire d'une improvisation ou d'une simple transcription de souvenirs : une entreprise volontaire, une construction dominée, calculée, prévue dans ses moindres détails. Les innombrables « on verra, ainsi qu'on le verra, nous verrons, on va le voir » semblent lui donner raison. N'empêche que,

dans la *Recherche,* l'anticipation n'est qu'une
parodie de maîtrise, quelque chose de statique,
de passif, de profondément non balzacien (la
forme exceptée), et, comme certains emplois de
l'imparfait de l'indicatif « une source inépuisa-
ble de mystérieuses tristesses » (80) ; elle traduit,
sans être seule à le traduire, la crainte, l'horreur
de celui qui dit « je », quelque soit sa véritable
identité, de se reconnaître en tant qu'être déter-
miné par et dans le temps. De sorte que la fuite
en avant est aussi fuite de soi-même, aspiration
à l'irresponsabilité. L'affaire Dreyfus et la guerre
russo-japonaise chronologiquement interverties,
l'histoire se transforme en puzzle absurde, en
comédie ou en féerie, ce qui dispense évidemment de prendre une attitude.

Valable pour la chronologie des événements
réels, cette dernière remarque l'est également
pour celle de l'affabulation romanesque détachée
de son cadre historique. Le vagabondage des
êtres et des choses dans le temps interdit au lecteur de tenir le romancier pour responsable des
invraisemblances du récit. Après la découverte
de l'identité du modèle de Miss Sacripant dans
l'atelier d'Elstir à Balbec, le narrateur se
demande si Elstir ne serait pas « le peintre ridi-
cule et pervers adopté jadis par les Verdu-

---

(80) *Pastiches et Mélanges* (Gallimard, 1919), p. 239,
note I.

rin » (81). Le lecteur, lui, se demande comment,
par qui, grâce à quelles confidences, le narrateur
a déjà été mis au courant, à cette époque-là, de
l'histoire racontée dans *Un Amour de Swann*. A
la fin de la première partie de *Du Côté de chez
Swann,* le narrateur, en guise d'introduction au
roman d'amour qui va suivre, déclare qu'il en a
appris le contenu bien des années après avoir
quitté Combray (82). Mais quand ? Rien n'empêche, si l'on fait abstraction des relations qu'en-
tretiennent les personnages, que le narrateur ait
eu connaissance de cette histoire pendant les
années parisiennes qui précèdent le premier
séjour à Balbec ou, à la rigueur, pendant ce
séjour. Il n'est plus un enfant et se trouve déjà, à
son âge, hors de « l'aurore de jeunesse dont s'em-
pourprait encore le visage » d'Albertine (83),
laquelle, à Balbec, doit avoir quinze ou seize
ans (84), d'Andrée, plus âgée qu'elle, etc... On
peut donc, sans crainte de choquer sa pudeur, le
mettre au courant de certaines choses, par
exemple de la perversité d'Elstir. Seulement on
ne parvient pas à identifier l'informateur. Marcel
connaît à peine M. de Charlus et Mme Verdurin
et n'a pas encore eu l'occasion de rencontrer les
anciens habitués de la rue Montalivet. Les propos

---

(81) I, 863.
(82) I, 186.
(83) I, 905.
(84) Cf. I, 512, 626.

que Swann lui tient, deux ans plus tard, au cours
de la soirée chez la princesse de Guermantes, sur
la jalousie, laissent supposer qu'à part quelques
vagues allusions, il ne lui a jamais fait de confidences au sujet de sa liaison avec Odette. Quant
à celles-ci, qui à l'époque des visites du narrateur chez elle traversait sa phase la plus bour-
geoise, il est à peu près exclu que devant un
garçon qui faisait la cour à sa fille elle eût parlé
si librement de sa vie d'autrefois. Il s'ensuit qu'au
moment de la visite à Elstir, le narrateur devait
encore presque tout ignorer du salon Verdurin
première version et de ce passé de Swann et
d'Odette qui fera l'objet d'un récit noté bien plus
tard, après la mort de Swann et le second séjour
à Balbec (85), mais peut-être déjà connu à l'époque des soirées à La Raspelière (86).

Pour évident qu'il soit, l'anachronisme n'en
est pas moins de ceux sur lesquels on glisse facilement. Installé dans le mouvement d'anticipation qui l'entraîne, le lecteur ne s'aperçoit plus
que les expériences du narrateur sont, non seulement subjectivement, mais objectivement antida-
tées par une espèce d'opération de transfert sous-
jacente au moyen de laquelle l'auteur enrichit
continuellement le héros du livre de son savoir,

---

(85) III, 366-367.
(86) II, 1200 (note 1 de la p. 943).

de ses découvertes et, pour tout dire, de son présent.

Cette attraction qu'un présent réel mais invisible exerce sur le passé fictif du roman engendre
sans arrêt des oscillations que les anachronismes
pour ainsi dire enregistrent et rendent lisibles. Il
existe pourtant chez Proust, à côté de celui-ci, un
type très différent de fuite en avant, translation
poétique qui lui fait suivre la pente des saisons
et enjamber avec une merveilleuse aisance les
frontières qui les séparent. Ainsi, dans la seconde
partie de *A l'Ombre des Jeunes Filles en Fleurs,*
à partir de la première rencontre avec la bande
de jeunes filles et Albertine, rencontre qui se
situe « au plein de l'été » (87), le récit, non sans
retours en arrière, s'engage dans un automne illimité, ou plutôt dans une saison proustienne, plus
vaste que celles que nous connaissons, où les
soirs d'automne prolongent des jours d'été dans
une confusion et un glissement continuels qui
communiquent le sentiment de l'infini. Si bien,
que, le temps n'ayant cessé de se dilater, lorsqu'on lit plus loin (88) qu'Albertine et le narrateur doivent rester très longtemps encore à Balbec, on a subitement l'impression que ces vacances ne finiront jamais. Cette impression ne correspond à aucune anomalie nouvelle dans la

_____

(87) I, 798.
(88) I, 876.

chronologie du récit. Aussi retrouverons-nous le
narrateur le même automne 1897, après son
retour de Balbec, amoureux de la duchesse dont
il est devenu le voisin. Mais ailleurs, l'élasticité
irréelle des saisons, le passage sans transition,
par le biais de jours ensoleillés ou pluvieux, d'un
commencement de printemps à une fin d'automne, de la fin d'un hiver à son début ou à celui
de l'hiver suivant, finissent par avoir des réper-
cussions non négligeables sur l'ordre chronologique des événements. C'est ce qui se produit
notamment dans le deuxième chapitre de la
seconde partie du *Côté de Guermantes*.

III. — LE COTE DE GUERMANTES

La première moitié du *Côté de Guermantes* est peut-être la seule partie du roman dont la chronologie se confond, malgré les anachronismes relativement nombreux, avec celle de l'époque historique dont Proust, peut-être sans en avoir pleinement conscience, s'est fait le chroniqueur. Les métamorphoses des personnages étant désormais un des aspects, et non des moindres, de l'affaire Dreyfus, c'est sur les divers rebondissements de cette crise de la société française en général et de la société élégante en particulier que sera fondée la chronologie du récit (88 bis). Celui-ci reprend en automne 1897 au retour de Balbec (déménagement, soirée à l'Opéra). La scène se déplace ensuite à Doncières. Le narrateur y séjourne jusqu'à la veille des fêtes (89). Ce sont ensuite les premiers jours du printemps de l'année suivante (90) et bientôt après, avant Pâques (91) la visite chez Mme de Villeparisis. Ce printemps, qui empiète peut-être un peu sur

---

(88 bis) Par contre, dans *Jean Santeuil*, l'affaire Dreyfus semble assez artificiellement plaquée sur un récit qui s'étale sur une période de quinze ans environ mais dont le moins qu'on puisse dire c'est qu'il n'est pas daté, puisque malgré le temps qui passe, il commence et finit en 1866 (I, p. 79 et III, p. 263).
(89) II, 99, 124.
(90) II, 154.
(91) II, 160.

l'été, se termine tristement par la maladie et la
mort de la grand'mère du narrateur. Ces derniers événements se produisent tous en 1898, car
le jour de la réception chez Mme de Villeparisis
se situe très exactement entre le procès Zola, qui
a déjà eu lieu (92), et l'aveu d'Henry, suivi de son
suicide (93), dont il est parlé au futur. Autre
détail qui laisse peu de place au doute : Boisdef-
fre est encore chef d'état-major de l'armée (94).
La chronologie à peu près concordante de ces
chapitres est à peine altérée par les détails qui
tendent à transporter le récit dans une époque
légèrement postérieure. Nous avons déjà dit ce
qu'il fallait penser de la plaisanterie de Bloch sur
la guerre russo-japonaise. L'allusion au veuvage
de la reine de Suède (95), qui date de 1907, est
manifestement une erreur, de même que celle à
l'Exposition universelle de 1900 (96), qui figure
d'ailleurs dans une addition. Reste le dîner offert
par la princesse de Faffenheim en l'honneur du
roi et de la reine d'Angleterre (97). De cette
visite du couple royal anglais, visite dont il est
parlé au passé et qui fait faire au récit un bond
d'au moins cinq ans, il est encore question plus

(92) II, 234.
(93) I, 242.
(94) II, 242.
(95) II, 211.
(96) II, 223.
(97) II, 262.

loin (98) à propos, cette fois, d'une réception
donnée par la duchesse de Guermantes. Plus loin
encore, celle-ci dira : « je trouve le roi Edouard
charmant » (99). C'est une espèce d'anachronisme
suivi, comme pourrait l'être une métaphore, et
qui infirme totalement la thèse de Mlle G. Brée
selon laquelle les incompatibilités qu'on rencontre en si grand nombre dans le roman de Proust
découlent des « circonstances qui ont présidé à sa
composition et à sa publication ». Empressons-
nous d'ajouter que la thèse contraire, qui consiste à écarter complètement les causes matérielles d'erreur et à interpréter ces incompatibilités comme une utilisation arbitraire du réel à
des fins esthétiques, voire comme une négation
idéaliste du monde extérieur, ne repose, elle non
plus, sur aucune preuve concluante. On ne peint
pas la fresque d'une société et d'une époque sur
un mur dont on conteste a priori la solidité ou
dont on postule l'inexistence. Pour Proust l'affaire Dreyfus n'était pas une légende, ni la visite
d'Edouard VIII à Paris une cérémonie symbolique ou un débris de rêve. Si, outre sa propre histoire, son intention avait été de travestir celle du
milieu et des années à travers lesquels serpente
son récit, n'aurait-il pas, à côté du roi Théodose,
inventé d'autres rois, d'autres présidents fictifs,

----

(98) II, 430, 452.
(99) II, 528.

ou, tout au moins, n'aurait-il pas, suivant là
encore l'exemple de Balzac, poussé plus loin qu'il
ne l'a fait (par exemple dans le passage sur la
princesse Mathilde, dans le pastiche du Journal
des Goncourt) la fusion du réel et de l'imaginaire ? A vrai dire cette fusion, bien que d'un
autre ordre, sinon d'une autre envergure, existe,
mais entre, au lieu de deux, trois plans à l'origine distincts : les données historiques inaltéra-
bles (affaire Dreyfus) ; les éléments autobiographiques transmués en matière romanesque
(débuts du narrateur, c'est-à-dire de l'auteur
dans le monde) ; enfin certaines réminiscences
personnelles à l'état pur (maladie et mort de la
mère de Proust). Or la perspective temporelle
change selon que le romancier, au fil des para-
graphes ou même des phrases qu'il compose,
pénètre dans l'une ou l'autre de ces zones d'inspiration. Si le temps avance avec les étapes de
l'affaire Dreyfus qui constituent l'ossature chronologique du récit, le narrateur, comme s'il avait
rétrogradé dans sa durée propre, semble légèrement plus jeune qu'à Balbec, peut-être tout simplement parce que son âge se stabilise ; il est
maintenant celui de Proust quand il commence
à fréquenter les salons (100). Cette adolescence

---

(100) Cf. II, 33, 149 ; surtout II, 295 : « jeune polis-
son qui allez avoir bientôt besoin de vous faire raser »
et II, 327 : « comme plus tard au régiment ».

persistante du narrateur (101) n'empêche pas
l'auteur de survoler toute sa vie et de puiser dans
une couche de souvenirs moins profonde. Le récit
des souffrances et de l'agonie de la grand'mère de
Marcel, transposition à peine voilée de celles de
Mme Adrien Proust, incorpore au présent du
narrateur le passé de l'auteur, mais un passé anachronique qui, vu de l'intérieur de la fiction, se
change en avenir. La maladie et la mort de la
mère de Proust renvoyant à 1905, par rapport à
cette date, sans doute fugitivement présente à
l'esprit du romancier même avant ou après l'évocation de cet événement capital de sa vie, la
visite du roi d'Angleterre au président Loubet a
déjà eu lieu, et pareillement la guerre des Boers
(102), la mort du vicomte de Bornier (103), l'envoi de troupes françaises à la frontière algéro-
marocaine (104) et le premier conflit diplomatique franco-allemand au sujet du Maroc (105). On
peut objecter à cela, en adoptant le point de vue
de M. G. Poulet (106), que la perspective extra-
temporelle, qui est celle de la mémoire involontaire et du rêve, et la conception de Proust, nullement bergsonienne, d'un temps ni objectif ni sub-

---

(101) Cf. I, 976 (note I de la p. 754).
(102) II, 527.
(103) II, 489.
(104) II, 347.
(105) II, 412.
(106) G. Poulet, op. cit.

jectif, mais intellectuellement et presque musicalement recrée à partir d'une dissociation, d'un évanouissement préalable de la conscience individuelle, permettent de découvrir en elles la loi générale de tous les anachronismes proustiens et nous dispensent d'avoir recours à des explications partielles, trop souvent à base d'hypothèses ou de divinations. Mais, pour séduisant qu'il soit, soutenir ce point de vue, n'en revient pas moins à ravaler *A la Recherche du Temps perdu* au rang des tentatives purement gratuites de certains romanciers actuels, qui, étayant parfois leurs prétentions sur ce qu'ils prennent pour le message littéraire de Proust (106 bis), se croient ou se disent plus ou moins ouvertement ses continuateurs. Se réclamer de Proust (ou de Kafka, ou de Faulkner) quand on n'a ni âme ni drame à exprimer, cela frise l'imposture. Raison de plus de ne pas céder à la tentation de sacrifier la richesse et la détresse d'un si grand génie aux abstractions d'un formalisme esthétique ou philosophique qui n'explique tout que parce qu'il n'explique rien, ou peu de choses.

Prenons un exemple précis. A Doncières, juste avant les fêtes de fin d'année, alors que le séjour du narrateur touche à son terme, Rachel demande à Saint-Loup de ne pas revenir à Paris

---

(106 bis) Du reste, comme l'affirme très justement M. Gaëtan Picon (op. cit. p. 200) « l'œuvre de Proust est un jour sans lendemain ».

au 1ᵉʳ janvier (107). Pour cacher son humiliation,
Saint-Loup parle au narrateur de la délicatesse
de sa maîtresse et lui apprend que Rachel « va
passer tous les ans le jour des morts à Bruges » (108). Enfin, deux pages plus loin, Saint-
Loup vient d'obtenir une longue permission pour
Bruges bien que l'action se passe toujours à la
veille du 1ᵉʳ janvier et non du 1ᵉʳ novembre. On
n'imagine pas comment la perspective extra-temporelle et toutes les subtilités de la vision proustienne ponrraient rendre compte de cette contradiction qui n'est pas dans la mémoire des faits
mais dans les faits eux-mêmes. Certes, obsédé
par l'idée de la mort, Proust rédigeait et corri-
geait vite. Les nombreuses fautes d'orthographe
et de construction des manuscrits sont là pour
nous le rappeler. A cette fièvre perpétuelle de son
cerveau et de sa main s'ajoute une sorte de pres-
bytisme de la mémoire dont nous avons déjà eu
l'occasion de citer quelques exemples (108 bis).
Pourtant ces glissements à l'intérieur de saisons
définies par le baromètre plutôt que par le calendrier sont trop caractéristiques pour n'être dus
qu'au rythme accéléré de la composition ou aux
intermittences de la mémoire. Pour peu que les
jours se ressemblent par leur température, leur
luminosité ou l'impression de joie ou de tristesse

(107) II, 124.
(108) II, 125.
(108 bis) Cf. supra p. 54-55.

qui s'en dégage, ils sont comme déracinés et flot-
tent à la dérive tantôt en amont, tantôt en aval,
en retard ou en avance sur le moment du récit
qui leur correspond. *Chronologie barométrique* si
fréquente chez Proust qu'elle apparaît même là
où rien ne la laissait prévoir, les sensations qui
perturbent le calendrier restant inexprimées,
enfouies dans l'atmosphère mentale de l'artiste
au travail. Pour le malade hypersensible qu'était
Proust, il suffit d'avoir étouffé ou grelotté pour
que le printemps devienne l'été, l'automne l'hiver ; il suffit d'avoir entrevu un rayon de soleil
pour que les jours d'hiver s'insinuent dans l'automne ou bondissent allègrement vers le printemps.

Après la mort de la grand'mère le récit se
poursuit presque sans solution de continuité. La
scène est toujours à Paris, en 1898. C'est d'abord
un dimanche d'automne indéterminée (109) et
bientôt la fin de l'automne (110). Cependant, peu
après, Françoise dit : « On est déjà à la fin de septembre » (111). Et c'est en effet le 10 septembre
1898 qu'est morte l'impératrice Elisabeth d'Autri-
che, événement qui fournit à Saint-Loup l'occasion de citer l'expression latine « sic transit gloria
mundi » (112). Ce trait de snobisme intellectuel,

---

(109) II, 345.
(110) II, 385.
(111) II, 392.
(112) II, 509.

dont la duchesse de Guermantes se moque au
cours du dîner auquel est convié le narrateur, ne
nous intéresse ici que dans la mesure où il confir-
me, avec une marge d'erreur inévitable dans toute
évaluation du temps proustien, les paroles de
Françoise et donc la date de septembre 1898. Il
est vrai que les paroles de Françoise, à laquelle
Proust a sans doute prêté plus d'un de ses
défauts et qui de surcroît est incapable de dire
l'heure exacte, sont sujettes à caution. En tout cas
ce n'est pas dans une atmosphère de septembre,
mais de novembre ou même de décembre, qu'est
plongé le restaurant où le narrateur dîne avec
Saint-Loup la veille de la première invitation
chez la duchesse de Guermantes. Et en quittant
la réception de celle-ci, le narrateur demande ses
« snow-boots » pris « par précaution contre la
neige, dont il était tombé quelques flocons vite
changés en boue » (113). Début d'hiver en parfait accord avec le paysage que traversent Albertine et le narrateur en parcourant le Bois de
Boulogne à la recherche d'un endroit qui con-
viendrait pour le rendez-vous avec Mme de Ster-
maria.

Cette promenade a lieu la semaine de la sortie en ville avec Saint-Loup et du dîner Guermantes. On reste cependant sur l'impression
d'une absence de raccord, d'un décalage chrono-

_____

(113) II, 546.

logique ; à l'origine, le passage devait se trouver
dans un contexte différent ou à la suite d'autres
fragments que Proust a vraisemblablement sup-
primés en remaniant le plan de l'ouvrage. Cette
impression est liée à l'impossibilité de détermi-
ner l'époque de l'année où se produit la réappa-
rition d'Albertine. « Cette année elle venait directement de Balbec... » (114). Septembre, octobre?
Mais à la page précédente nous lisons ceci :
« Albertine, cette fois, rentrait à Paris plus tôt
que de coutume. D'ordinaire elle n'y arrivait
qu'au printemps, de sorte que, déjà troublé
depuis quelques semaines par les orages sur les
premières fleurs, je ne séparais pas, dans le plaisir que j'avais, le retour d'Albertine et celui de la
belle saison ». Sans attribuer à l'expression «plus
tôt » une valeur objective, courante, qu'elle n'a
pas, qu'elle ne peut pas avoir chez Proust, comment ne pas penser immédiatement non au début
de l'hiver, suggéré par le contexte, mais à la fin
de cette saison, février par exemple ? Octobre ou
février, la contradiction intrigue moins que la
soudaine multiplication des printemps entre le
dîner Guermantes et le premier départ de Balbec. Erreur, illogisme, improvisation ? Peut-être,
mais aussi admirable illustration de la *technique
d'illusionniste* inventée par Proust et qui fait de
l'imparfait, plus chargé encore de mélancolie que

---

(114) II, 352.

chez Flaubert, le temps du rêve. Car présenter le
plaisir procuré par le retour d'Albertine comme
un fait habituel donne à la durée une épaisseur
qu'en réalité elle n'a pas : l'habitude, la répétition, ne sont plus qu'illusions créées par une sorte
de reproduction indéfinie de l'instant affectif, qui
se rattache au mécanisme du rêve. « C'est le propre de ce qu'on imagine en dormant, de se multiplier dans le passé et de paraître, bien qu'étant
nouveau familier... » (115).

C'est le propre aussi du personnage proustien,
personnage irresponsable, qui a un caractère
(malgré la mobilité de ses composantes), souvent,
surtout quand il est snob, une ligne de conduite
assez nettement dessinée, mais rarement une bio-
graphie cohérente, d'être, comme dans un rêve,
brusquement et après coup, doté d'un complé-
ment de vie que le lecteur ne lui connaissait pas,
ce qui est tout à fait légitime et d'ailleurs conforme aux idées littéraires de Proust, mais qui ne
s'accorde pas toujours avec les autres parties de
cette vie ou avec la marche du récit, ce qui l'est
beaucoup moins. On le constate tout particulièrement chez la plupart des personnages sur lesquels Proust a projeté son désir et son malheur,
et dont les actes, les mobiles, les rapports réci-
proques s'entourent jusqu'à la fin d'ombre et
d'ambiguïté. Odette dans une certaine mesure,

_____

(115) II, 146.

Rachel, Morel, Andrée et, bien entendu, Albertine composent cette galerie de portraits évanescents. Plus sensible encore chez les personnages
secondaires, qui ne sont que les pièces d'une
démonstration et n'ont de consistance que lorsqu'ils apparaissent sur le devant de la scène, cette
absence de *ligne de vie* explique, bien mieux
que les incessants remaniements et accroisse-
ments du texte, les morts prématurées, les résur-
rections (116) et l'irréelle longévité qui prend
l'allure d'un sortilège.

Chevauchement des saisons, technique d'illusionniste, inclusion de nouveaux éléments du
passé dans le récit, inconsistance des personnages : la chronologie du roman en est forcément
bousculée.

Pour revenir au dîner chez la duchesse de

---

(116) Voici la liste des personnages d'*A la Recherche du Temps perdu* qui, bien que leur mort soit rap-
portée directement ou par allusion, réapparaissent au
cours du récit et dont certains meurent une seconde
fois : le roi de Suède, le fils de M. de Vaugoubert, Mme
d'Arpajon, le prince d'Agrigente, la comtesse Molé, Mme
de Villeparisis, la nièce de Jupien, Mme Bloch, Nissim
Bernard, le grand-père du narrateur, la Berma, Bergotte, Saniette, Cottard (la mort, ou tout au moins une
des morts des trois derniers personnages est relatée
ou mentionnée dans des fragments ajoutés après coup).
Notons encore que Mme de Cambremer-Legrandin
atteinte d'une maladie incurable en 1897 est cependant
présente à la matinée Guermantes du *Temps retrouvé*
et que la cérémonie d'enterrement de Robert de Saint-
Loup a lieu dans l'église de Combray, bien que celle-ci
ait été détruite par les bombardements.

Guermantes, celui-ci, pour diverses raisons
parmi lesquelles l'époque incertaine des retours
d'Albertine à Paris, finit par avoir lieu, non à la
fin de l'automne, comme tant de détails autori-
saient à le croire, mais à la fin de l'hiver, par
conséquent non à la fin de 1898 mais au début de
1899. En effet « environ deux mois » après ce
dîner et tandis que le duc et la duchesse sont à
Cannes (117), le narrateur reçoit une invitation
pour une soirée chez la princesse de Guermantes.
Or cette soirée se place sûrement en mai ou juin
1899. La duchesse de Guermantes ne dit-elle pas
ce jour-là qu'elle a été dans les jardins de sa
cousine, la princesse, « il y a un mois au moment
où les lilas étaient en fleurs » ? D'autre part à la
proposition de la duchesse de passer avec elle et
son mari « le printemps prochain » en Italie (118),
Swann répond qu'il ne sait pas si ce sera possible. La duchesse, bien que pressée de monter en
voiture pour se rendre chez sa cousine, lui
demande encore comment il peut le savoir « dix
mois d'avance » (119). Tous ces détails, auxquels
s'ajouteront plusieurs autres de *Sodome et
Gomorrhe,* ne laissent subsister aucun doute sur
la date du bal donné par la princesse de Guermantes.

------

(117) II, 568.
(118) II, 593.
(119) II, 594.

IV. — SODOME ET GOMORRHE

Le début de la quatrième partie du roman est presque entièrement occupé par la relation de ce bal. Il a lieu, nous venons de le dire, en mai ou juin, peut-être même en juillet, en tous cas un jour d'été (120), par une grande chaleur (121) et à une époque torride de l'année (122). Aucun problème de chronologie en ce qui concerne la saison, aucun non plus pour l'année : la soirée est donnée en 1899 avant la révision du procès Dreyfus. A Saint-Loup et au narrateur qu'il rencontre dans les salons de la princesse, Swann annonce : « Il paraît que Loubet est en plein pour nous... » (123). Un peu plus tard, avant de quitter l'hôtel du prince, il dit : « J'avoue que ce serait bien agaçant de mourir avant la fin de l'affaire Dreyfus » (124). La phrase peut paraître assez obscure, car il y a eu deux révisions du procès Dreyfus, comme il y a eu deux crises marocaines et deux crises balkaniques. Par une extraordinaire coïncidence, l'histoire politique de la belle époque imite le procédé de Proust qui consiste à traiter deux fois le même épisode. Mais il n'est guère probable que Proust ait cherché à

_____

(120) II, 633.
(121) II, 641.
(122) II, 645.
(123) II, 699.
(124) II, 714.

tirer parti de cet aspect fortuit de l'histoire pour
multiplier les équivoques de la chronologie. C'est
bien en tout cas à la première révision du procès
Dreyfus que se rapportent les paroles de Swann.
Trois semaines après la soirée chez la princesse
de Guermantes, le duc revient d'une ville d'eaux
où il était allé faire une cure (125). Il est désormais converti au dreyfusisme. Le miracle est dû
à une princesse italienne et à ses deux belles-
sœurs, personnes rencontrées dans cette ville
d'eaux, et qui, en parlant de la révision, disaient:
« On n'en a jamais été si près. On ne peut pas
retenir au bagne quelqu'un qui n'a rien
fait » (126).

Seul détail troublant, dans le chapitre préli-
minaire de *Sodome et Gomorrhe,* en se décidant
à traverser la cour pour continuer à épier Charlus et Jupien, le narrateur (le personnage et non
l'auteur) se dit : « moi qui me suis battu plusieurs fois en duel sans crainte, au moment de
l'affaire Dreyfus... » (127). L'affaire appartient-
elle déjà au passé ? Quelques lignes plus haut,
se rattachant sans doute à celles du *Côté de Guermantes* (128), une nouvelle allusion à la guerre
des Boers fait penser à une sorte de contamina-
tion, le premier anachronisme ayant amené le

----

(125) II, 739.
(126) II, 740.
(127) II, 608.
(128) II, 527, 548.

second. Mais n'est-ce pas plutôt que la scène
capitale de la « conjonction » entre le baron et
le giletier se greffe sur des souvenirs plus récents
et qu'elle s'intègre, autant par l'époque secrète-
ment évoquée que par les thèmes mis à jour, à la
vaste et sombre confession, plus ou moins dégui-
sée, qu'est la seconde moitié du roman ? Entre
celle-ci et la première, il y a une cassure que la
continuité du plan et de l'intrigue, ou des intri-
gues, ne suffit pas à dissimuler. Feuillerat l'a bien
vu, quoique sa thèse, souvent contestée, ne s'appuie pas sur une argumentation vraiment con-
vaincante. En vérité, ni le style, en dehors de
certains aspects superficiels, comme par exemple
l'utilisation plus fréquente de certains tours bal-
zaciens (129) et plus rare des « guirlandes »
d'adjectifs (129 bis), ni la philosophie de Proust
n'évoluent sensiblement. L'écriture, plus austère
peut-être, et même la pensée davantage teinte
de désespoir ne reflètent aucun changement radi-
cal dans la vision du romancier. Ne trouve-t-on
pas déjà l'essentiel du célèbre morceau sur la
« race maudite » dans un fragment de *Contre
Sainte-Beuve* (130) ? Et quelle absence d'illusions

---

(129) Cf. J. Mouton, Le style de Marcel Proust (Cor-
réa, 1948).
(129 bis) 5 dans *Albertine disparue*, 7 dans *la Fugitive*, contre 44 dans *le Côté de Guermantes* et à peu
près autant dans *Sodome et Gomorrhe*.
(130) *Contre Sainte-Beuve*, pp. 255 à 266.

dans les nouvelles des *Plaisirs et des Jours* où,
comme dans la *Recherche,* les grandes passions
finissent dans l'oubli et l'indifférence ! La lucidité et le scepticisme, le pessimisme et la défiance
ont dès le début, malgré les enthousiasmes juvé-
niles, caractérisé l'attitude de Proust devant le
spectacle du monde. Ce qui manquait encore,
c'est ce besoin irrésistible du criminel de retourner sur les lieux du crime, lieux souvent actuels
d'un crime qui ne cesse d'être perpétré. L'apport de matière nouvelle contemporaine de la
composition du livre (131), l'expérience actuelle
et envahissante de l'infortune devaient fatale-
ment disloquer les structures du temps dans un
récit que Proust avait une fois pour toute conçu
comme une exploration du passé. De sorte que,
à partir de la soirée chez la princesse de Guermantes, l'ordre des événements autobiographiques, volontairement bouleversé, se superpose de
telle façon à celui, également brouillé, de la vie
fictive du narrateur, que la chronologie du roman
se dédouble et parfois devient une notion vide
de sens. En d'autres termes, le rapport logique
entre la chronologie interne du roman, fondée
sur des notations d'intervalles, et la chronologie

---

(131) Henri Bonnet, *Marcel Proust de 1907 à 1914*
(Nizet 1959), p. 165 : « Ce qui nous permet de faire
remarquer, en passant, qu'en fait le temps retrouvé de
Proust est très souvent un temps présent, un temps
observé qui n'est pas emprunté à la mémoire. »

externe, objective, reposant sur une série d'événements datés, tend à disparaître complètement.

  Combien d'années s'écoulent entre le premier
et le second séjour à Balbec ? L'amalgame de
fragments composés à plusieurs époques et selon
des plans différents rend la réponse difficile,
sinon impossible. On a d'abord l'impression (132),
mais le passage n'est pas suffisamment clair car
le temps du héros et celui du romancier semblent
s'y mêler, que le narrateur quitte Paris pour
Balbec tout de suite après la soirée chez la princesse de Guermantes. « Je n'ai pas le temps,
déclare-t-il, avant mon départ pour Balbec (où,
pour mon malheur, je vais faire un second séjour
qui sera aussi le dernier) de commencer des
peintures du monde... » (133). A quelques pages
de là, il nous apprend cependant que, sur l'ordre
des médecins, il était parti dès Pâques (134) —
donc au plus tôt l'année suivante — comme
Albertine d'ailleurs (135), qui, elle aussi, était à
Paris ce jour de l'été 1899 où a eu lieu la soirée
chez la princesse de Guermantes. Ce départ prématuré que, d'une part, on dirait un vestige
d'une version antérieur se rattachant à ces paro-

---

  (132) Impression confirmée par une phrase de la
Fugitive : « Bientôt reviendrait la date où j'étais allé
à Balbec, l'autre été... » (III, 484).
  (133) II, 742.
  (134) II, 751.
  (135) II, 780.

les prononcées par le narrateur à Doncières :
« Nous ne pourrons pas aller chez Madame de
Guermantes à ce moment-là (à Pâques), car je
serai déjà à Balbec... cette année, à cause de ma
santé, on doit m'y envoyer plus tôt » (136), est
d'autre part confirmé par le fait que Swann est
déjà mort (137) et par les lignes qui précisent que
le narrateur arrive à Balbec plus d'une année
après la mort de sa grand'mère (138). Certains
détails de *La Prisonnière,* dont l'action se déroule
pendant l'hiver et le printemps, immédiatement
après le second séjour à Balbec, suggèrent eux
aussi qu'entre celui-ci et la soirée chez la princesse l'écart est d'au moins un ou deux ans : l'affaire Dreyfus est terminée depuis deux ans (139)
et Albertine a vingt ou vingt-et-un ans (140), alors
qu'à Balbec, lors du premier séjour, elle devait
avoir quinze ou seize ans. Tout cela est extrêmement vague, d'autant plus vague que l'âge de certains personnages proustiens, à l'instar de celui
du narrateur, n'avance pas au même rythme que
le temps. Si le duc et la duchesse de Guermantes,
Swann et Odette, Françoise, vieillissent normalement, chez Bloch, Saint-Loup, Morel, l'âge mûr
paraît indéfiniment ajourné. Quant à Charlus il

---

(136) II, 124.
(137) II, 781
(138) II, 756.
(139) III, 39-40.
(140) III, 63, 446.

vieillit par bonds : « homme d'une quarantaine
d'années » (141) à Balbec en 1897, « quinquagé-
naire bedonnant » (142) en 1899, il a un peu plus
du triple de l'âge de Morel (143), c'est-à-dire un
peu plus de soixante ans (144), quelques mois
après le commencement de sa liaison avec le violoniste. Tantôt le temps est suspendu, tantôt il
avance à pas de géant. Et pourtant Proust tout en
confondant parfois octogénaire et quinquagé-
naire, concevait l'âge « comme quelque chose de
mesurable » (145). Mais peut-être à cause de cela
justement comme quelque chose de dangereux,
de menaçant, l'âge des autres pouvant servir de
mesure au sien. Grâce à l'adolescence persistante
d'un Saint-Loup, dont le père a pourtant été tué
à la guerre en 1871 (146), ou à la longévité, en
quelque sorte compensatrice, d'un baron de
Charlus, d'une marquise douairière de Cambremer, coordonnées, devenues irréelles, de son propre âge, le narrateur, et plus encore l'auteur,
échappe ou plutôt croit échapper à la tyrannie
du temps, qui est aussi celle des actes, des fautes
et du remords. L'être sans âge fixe se dépouille
un peu plus encore de son identité et dispose à

---

(141) I, 751.
(142) II, 627.
(143) III, 45.
(144) III, 291.
(145) III, 1046.
(146) II, 1094.

chaque instant d'un alibi, ou de plusieurs, pour
affirmer : « Ce n'est pas moi ». Derrière l'éventail déployé des années, le visage de celui qui s'y
cache livre difficilement son secret. L'ouverture
de cet éventail dépendra donc de la matière du
récit : plus celle-ci sera compromettante, plus
celle-là s'agrandira, jusqu'à faire s'étaler cinq
mois de roman sur dix années d'histoire, comme
dans les derniers chapitres de *Sodome et Gomorrhe.*

Pour un anachronisme à ranger indiscutablement sous la rubrique des simples erreurs — l'allusion de Brichot à Marck, fonctionnaire « tols-
toïsant », directeur de l'Odéon jusqu'en 1896 seulement (147) — nous en trouvons sept ou huit
dont aucun ne l'est d'une façon absolument certaine. Quand, à propos des nouveaux spectacles
de Paris, Monsieur de Chevregny mentionne la
Châtelaine de Capus et *Pelléas et Mélisande*
(148), la référence est tout à fait précise et situe
l'action en 1902, ce qui concorde, si l'on se rappelle la date du premier séjour à Balbec, avec
le sentiment exprimé par le narrateur dans *La
Prisonnière* — l'hiver suivant — que les désirs
d'Albertine lui eussent été « cinq ans avant »

---

(147) II, 935 — Notons cependant que *Resurrection*
de Tolstoï a été représenté à l'Odéon en 1902 dans une
adaptation de Henry Bataille.
(148) II, 1086-1087.

indifférents (149). Il est d'ailleurs également question de *Pelléas et Melisande* au cours d'un échange d'impressions esthétiques entre le narrateur et la prétentieuse Madame de Cambremer-Legrandin (150). Mais lorsque Cottard, donnant son opinion sur la cantatrice Galli-Marié dit : « c'était ce que nous appelons la véritable diva... » (151), on peut penser que celle-ci est morte et que les soirées à la Raspelière ont eu lieu après 1905. L'allusion de Charlus à l'affaire Eulenbourg (152) et le fait que Mme Verdurin prête au baron *Au milieu des hommes* de Roujon (153) transportent l'action, si tant est qu'elle existe, en 1907 au plus tôt. La façon dont est décrit le vol de l'avion qui effraie le cheval du narrateur (154) semble indiquer une date postérieure à celle où Farman réalisa son exploit (1908, premier kilomètre en circuit fermé). D'ailleurs presque tous les passages (plus de vingt) poétiques ou non concernant les avions et les aviateurs renvoient au contexte affectif réel

---

(149) III, 360.
(150) II, 812-813 — Toutefois l'opéra de Debussy devait s'associer dans les souvenirs de Proust non à l'année de sa création, mais à l'époque bien plus tardive (février 1911) où il en eut la révélation au moyen du théâtrophone.
(151) II, 958.
(152) II, 947.
(153) II, 1045.
(154) II, 1029.

de la passion pour Agostinelli et, en conséquence,
aux derniers séjours à Cabourg. C'est la présence
de ceux-ci à l'arrière-plan du récit qui nous permet d'expliquer, sans perdre de vue l'intention
de brouiller les pistes qui apparaît de plus en
plus clairement à travers la désagrégation du
temps, l'introduction de Céleste Albaret dans le
récit (155), la remarque au sujet des « poèmes
admirables mais obscurs » de Saint-Léger-Léger,
dont les premiers furent publiés en 1909 et 1910,
et surtout, au moment de l'arrivée à Balbec, l'allusion à un article paru la veille dans l'*Echo de
Paris* et qui s'en prenait à Caillaux, ministre dont
le directeur de l'hôtel non plus n'admet pas la
politique : « Il nous met trop sous la coupole de
l'Allemagne » (156). On devine tout de suite qu'il
s'agit des remous diplomatiques suscités par la
seconde crise marocaine de 1911. Les troubles de
mémoire dont Proust commençait à se plain-
dre (157) avaient-ils pris des proportions telles
qu'il n'arrivait plus à distinguer les moments
successifs de l'histoire ? Ou bien, comme nous
l'avons déjà suggéré, tout en rejetant alors cette
hypothèse, le déroulement en deux temps de plusieurs conflits politiques intérieurs ou internatio-

---

(155) Il est vrai que Céleste entre au service de
Proust à une époque légèrement postérieure, après les
vacances d'été de 1913.
(156) II, 752.
(157) II, 984.

naux est-il une source d'équivoque qu'exploite la
duplicité du romancier ? En tous cas on ne peut
se défendre du sentiment que, surtout en ce qui
concerne l'épisode de la cohabitation avec Albertine, Proust a obéi à la triste nécessité d'induire
en erreur, et non seulement en travestissant les
sexes, les vices, et en donnant au principal
accusé, et coupable, le rôle du juge.

V. — LA PRISONNIERE

Les sept ou huit mois pendant lesquels Albertine habite chez le narrateur se situent aussi bien
après la seconde crise marocaine qu'immédiatement après la première. Le lendemain de la soirée musicale organisée par Charlus chez les Verdurin, le narrateur ne cesse d'identifier la scène
de la veille entre lui et Albertine « avec un incident diplomatique qui venait d'avoir lieu » (158).
Cet incident est la démission de Delcassé consé-
cutive aux pressions allemandes, en juin 1905. Le
passé récent (venait d'avoir lieu) n'a pas forcément sa valeur habituelle. La logique nous oblige
cependant à placer la soirée Verdurin au cours
de l'hiver 1905-1906. Logique qui, dans une certaine mesure et de façon intermittente, existe
chez Proust aussi, mais qui par son intermittence
même aboutit à la pire confusion. Ainsi, dans *La
Fugitive,* le narrateur, en rapportant des propos
tenus par la duchesse de Guermantes « un des
jours les plus graves de la crise où pendant le
ministère Rouvier on crut qu'il allait y avoir la
guerre entre la France et l'Allemagne » (159),
nous informe indirectement qu'à ce moment-là,
c'est-à-dire au début de l'année 1905, Swann était
encore vivant. Ce déplacement de la mort de

_____

(158) III, 361.
(159) III, 576.

Swann, s'il résulte de la non concordance entre
la chronologie des dates et celle des intervalles,
est aussi un exemple de l'attraction que certains
passages contenant des références précises exer-
cent à distance les uns sur les autres, phénomène qui conduit à des ébauches de chronologies
parallèles, comparables peut-être à ces « séries
différentes et parallèles » que le narrateur croit
découvrir dans la durée subjective (160), mais
totalement injustifiées et injustifiables dans le
temps objectif.

L'oubli de tant de choses, qui vient avec l'âge
et qui détraque et disloque le sentiment des distances dans le temps (161) a-t-il le pouvoir de
désintégrer ces choses elles-mêmes et d'en épar-
piller les fragments aux quatre vents des années?
Bien des vieillards répondraient par l'affirma-
tive, et Proust, en même temps qu'un enfant,
était, à sa manière, un vieillard. Ce qui ne l'empêche pas de ressembler à ces accusés qui pour
se disculper ou pour qu'on leur accorde des
circonstances atténuantes prétendent ne pas être
en possession de toutes leurs facultés mentales.
Car on peut fort bien ne pas avoir retenu la date
exacte d'un événement aussi peu important que
le mariage du prince Albert de Belgique (162), on

---

(160) II, 757.
(161) III, 593-594.
(162) III, 247 : « Elle (la reine de Naples) eût tant
voulu amener sa nièce Elizabeth, disait-elle, (celle qui

ne peut pas, même si les années solaires sont
doublées d'années sentimentales (163), ne plus
se souvenir de la période où s'est déroulé l'épisode capital de sa vie — la liaison avec Albertine
— et le situer tantôt à une époque antérieure à
celle des ballets russes (164), tantôt au moment
où Sert, Bakst et Benoist dessinaient des décors
pour ces mêmes ballets (165).

On le voit, c'est souvent la précision, cet inutile, ce faux souci de précision, parfois besoin
maniaque et parfois subterfuge, qui fait naître
l'imprécision (165 bis). Essayons de supprimer
par la pensée les quelques passages où la fiction
et l'histoire interfèrent. Plus de contradictions
alors, plus d'anachronismes. Le mélange d'années
ne choquerait pas plus que celui de jours emprun-

---

devait peu après épouser le prince Albert de Belgique)
et qui regretterait tant ! » — Pourtant si le second
séjour à Balbec a eu lieu la même année que la soirée
chez la princesse de Guermantes (II, 742 ; III, 484)
et donc la soirée Verdurin en novembre (III, 559) 1899
ou février (III, 174) 1900, ce détail n'est pas anachronique.
    (163) III, 487.
    (164) III, 236-237.
    (165) III, 369.
    (165 bis) Même phénomène chez Stendhal. Dans ses
grandes œuvres et plus encore dans ses carnets intimes
on le voit aux prises avec le temps et l'espace, en proie
à un véritable délire de la précision. Partout il se noie
dans la chronologie et la topographie. Dans la *Char-
treuse de Parme* il indique au moins quinze fois l'âge
des personnages et se trompe régulièrement.

tés à des époques différentes dans le morceau
célèbre sur les cris des marchands ambulants. On
sent et on sait que ce n'est pas ce matin-là, matin
d'hiver d'ailleurs, bien qu'ensoleillé et doux, que
passent tous ces marchands sous la fenêtre du
narrateur. Si certains cris retentissent effectivement dans le temps réel, vécu, les autres, qui
viennent se grouper autour d'eux, ne sont per-
çus que dans le temps évoqué par la mémoire.
Cela ne gêne nullement, l'écrivain impression-
niste étant libre de donner à ses descriptions, à
ses analyses psychologiques, la profondeur temporelle qu'il désire. Mais tout change dès que
l'action prend le pas sur les rêves, sur les peintures et les états d'âme. Or, l'action, Proust en a
horreur, comme de tout ce qui engage irrévoca-
blement la responsabilité de l'être humain, à
l'exception toutefois de la création artistique. Sa
théorie du temps, sa manière de le traiter, quelques réalistes qu'elles soient, visent avant tout à
nier l'action, le poids des actes, en les pulvéri-
sant. Et l'on ne se tromperait pas beaucoup, on
exagérerait à peine en affirmant que ce sont la
peur et la honte qui ont conduit Proust au seuil
de la vérité.

Cependant les actes pèsent trop lourd pour
être éludés jusqu'au bout. Il n'y a pas de coupable que ne perde finalement l'orgueil de se savoir
à l'abri des poursuites, hors d'atteinte, invulné-
rable. Le démon de la sincérité, lorsque le ter-

rain semble suffisamment préparé pour que la
confession soit prise pour une fable, s'empare
de Proust comme un vertige. Et chaque fois qu'il
s'en rend compte il est trop tard : jongler avec
les jours, les mois, les années n'effacera plus
l'aveu gravé dans les parcelles du temps.

Cette jonglerie, au demeurant, n'a rien de
spectaculaire. C'est avec prudence et discrétion
qu'elle s'accomplit, comme l'art de Proust en
général, art bourgeois par excellence, fait d'ex-
quise politesse et de modestie touchante, même
et surtout quand il frise le mensonge. L'intervalle
de temps à l'intérieur duquel s'inscrit le drame
psychologique de *La Prisonnière* a beau couvrir
six années autobiographiques (qu'on retrouve du
reste dans certains détails, déjà mentionnés (166),
indiquant clairement qu'Albertine disparaît du
récit six ans environ après y être apparue), le
fait matériel de la séquestration ne dure que de
six à huit mois, la fuite d'Albertine étant contemporaine de la première grande chaleur de
l'année, à la venue du printemps (167), deux mois
après la visite de sa tante chez le narrateur (168),
qui, elle aussi, a eu lieu après le retour de la
belle saison (169). Il n'est guère surprenant que
la fin de l'histoire ne soit pas datée avec préci-

---

(166) II, 360, 446, 520.
(167) III, 395.
(168) III, 395.
(169) III, 388-389.

sion. Une fois de plus, Proust, qui n'est sensible
qu'à l'aspect prématuré ou tardif des saisons, en
reconstitue une subjectivement avec ce qui arrive
trop tôt et ce qui vient trop tard, de même que
l'adolescence et la vieillesse lui suffisent dans
bien des cas pour composer une vie humaine.
Pendant les jours qui suivent la mort d'Albertine, l'été est en train de s'installer (170). En
revanche, un peu plus loin, le narrateur note
« qu'on venait de rallumer » le calorifère (171)
et, en relatant le contenu d'une chronique cyné-
gétique, il précise qu' « on était au mois de
mai » (172). Le mois de mai est à retenir puisque c'est le 30 mai 1914 que se produisit l'acci-
dent d'avion qui coûta la vie à Agostinelli. Est-ce
à dire que, sous le rapport de la durée, la présence d'Albertine dans la maison du narrateur
est la réplique fidèle de celle, en tant que secré-
taire, d'Agostinelli dans l'appartement de
Proust ? Il y a bien des chances que cela soit
vrai, mais nous ne pouvons pas l'affirmer. Lais-
sons plutôt la parole au narrateur : « ...elle
[Albertine] pouvait maintenant [après sa fuite]
...se livrer à ses vices, détruisant les précautions
de chaque heure que j'avais prises pendant plus
de six mois à Paris... » (173). Cette période de

---

(170) III, 478.
(171) III, 484.
(172) III, 522.
(173) III, 470.

« plus de six mois » commence un 15 septembre
(174), date du second retour de Balbec, mais
aussi du premier retour de Cabourg en 1907.
C'est donc à la fois sur plus de six mois et sur
plus de six ans qu'est projetée la matière de *La
Prisonnière* : le temps est double. Il est même
triple si l'on tient compte du fait que cette partie du roman s'ordonne autour d'un seul jour
(celui de la représentation théâtrale au Trocadéro ; de la soirée de Verdurin et de la fausse
rupture avec Albertine) augmenté du soir qui le
précède et du matin qui lui succède (175). Ce
jour, semblable à Albertine déesse du Temps, est
comme « une pierre autour de laquelle il a
neigé » (176). Le procédé, utilisé à plusieurs
reprises dans les volumes précédents, trouve ici
sa meilleure justification. Car cette nébuleuse de
variations sur un même thème, cet enchevêtrement d'hypothèses inconciliables et de sentiments contradictoires, cette diversité et cette
confusion de pensées, le temps réel ne pouvait
les contenir. Aussi Proust avait-il le choix entre
une simplification inhérente à toute recherche de
la vraisemblance et le recours à une conception
du temps plus vaste, plus complexe, temps étagé,
à travers les sédiments duquel, comme à travers un édifice de verres grossissants, le point

_____
(174) III, 389.
(175) III, pp. 88-364.
(176) III, 438.

fixe, unique, se dissocie, se ramifie, prend des proportions monstrueuses, révélant ainsi dans la texture uniforme de l'instant le fourmillement chaotique des causes et les trous béants de la conscience. C'est la seconde solution que Proust a préférée. Elle consiste à décrire les événements, ces événements « plus vastes que les moments où ils ont lieu » (177), non dans le plan temporel d'un passé arrêté une fois pour toutes et coupé du présent, mais selon les figures en constante évolution et révolution qu'ils dessinent en se déployant dans l'espace de la mémoire. Mémoire involontaire, certes, mais surveillée et réorganisée dans l'acte de création. De sorte que les anachronismes et les contradictions ne semblent pas directement imputables à cette vision du temps, qui, tout en les favorisant, puisqu'elle détruit l'ordre chronologique, ne nie pas et même ne met pas en question l'existence objective de la chronologie.

Que l'esthétique de Proust vienne souvent au secours de ses faiblesses d'homme et leur serve de paravent, c'est un fait certain. Il faut cependant regarder derrière le paravent, bien que Proust nous l'interdise, et pour cause, si l'on veut remonter à l'origine de ces entorses à la logique que le romancier, lui, n'avait aucune raison de souhaiter. Ne serait-ce pas

---

(177) III, 401.

absurde, en effet, d'attribuer à l'écrivain, en
tant que tel, l'intention d'assigner deux dates différentes à la journée capitale qui, avec ses pro-
longements, s'étire sur les trois quarts de *La Prisonnière* ? Le spectacle du Trocadéro, la promenade au Bois avec Albertine et la soirée musicale chez les Verdurin ont d'abord lieu un dimanche (178) du mois de février (179). La fin de *La
Prisonnière* et le début de *La Fugitive* ne démen-
tent pas cette date. Mais lorsque le narrateur,
analysant les étapes de son oubli d'Albertine,
situe le commencement de la première d'entre
elles « à un début d'hiver, un beau dimanche de
Toussaint » (180), il ajoute qu'en approchant du
Bois, il se rappelait le retour d'Albertine venant
le chercher du Trocadéro » car c'était la même
journée, mais sans Albertine ». Cette nouvelle
promenade au Bois a-t-elle lieu exactement un
an après celle de *La Prisonnière* ? On pourrait,
en forçant le sens des mots, réduire l'expression « la même journée » à une simple ressemblance, ou, si l'on veut, à une identité de
décor, d'éclairage. On pourrait aussi faire un
sort à l'article indéfini de « à un début d'hiver »,
et l'interpréter, puisqu'il s'agit d'une correction
(Proust avait d'abord écrit « au début de l'hi-

---

(178) III, 157, 169.
(179) III, 174.
(180) III, 559.

ver »), comme un élargissement ou comme un
camouflage intentionnel du temps. Camouflage
provisoire d'ailleurs, précaution instinctive plutôt que ruse calculée. Car on saura bientôt qu'une
seconde visite d'Andrée, postérieure à la promenade au Bois, a eu lieu « à peu près six
mois » (181) après celle que le même Andrée
avait rendue au narrateur « peu de temps après
la mort d'Albertine » (182).

Ce début d'hiver, que Proust a voulu rendre
aussi indéterminé que possible, est donc bien
celui de l'année où est morte Albertine, et la
Toussaint le premier anniversaire d'un événement survenu en février. Confusion involontaire mais non imprévisible, comme dans *Le Côté
de Guermantes,* entre une fin et un début d'hiver ? Goût du sacrilège qui pousse le romancier
à dater le commencement de l'oubli de la veille
du jour des morts ? Le plus probable est que
Proust, quittant ici la fiction ou la demi-fiction,
évoque un moment authentique de son existence,
une promenade avec Agostinelli qui a peut-être
effectivement eu lieu en novembre 1913, peu de
temps avant que celui-ci réussisse à se sous-
traire à son emprise. Il n'est même pas exclu
que s'y mêlent des souvenirs — et avec eux une
vague réminiscence de l'époque de l'année où

(181) III, 596.
(182) III, 546.

Proust l'a située — de la promenade décrite dans
le morceau final de *Du Côté de chez Swann,*
morceau qui commence ainsi : « Cette complexité
du Bois de Boulogne... je l'ai retrouvée cette
année comme je le traversais pour aller à Tria-
non, un des premiers matins de ce mois de
novembre.. » (183).

---

(183) I, 421-422.

VI. — LA FUGITIVE

M. J.-F. Revel (184) considère la parution dans le *Figaro* d'un article du narrateur quinze ans après son envoi (185) comme un détail révélateur de l'insensibilité de Proust au temps. Disons tout de suite que sous cette prétendue insensibilité, cause de si fréquentes « erreurs d'optique dans le temps » se cache, greffée sur une maladie de la volonté, cette forme de sensibilité particulière qu'est la *procrastination*, qui, nous l'avons déjà fait remarquer à propos de Swann, détermine en partie le comportement du narrateur et sa vision intérieure des êtres et des choses. Mais, pour une fois, même en laissant de côté la question de savoir si l'article publié dans le *Figaro* est celui dont l'envoi remonte à l'époque de l'affaire Dreyfus, ce qui est loin d'être prouvé (186), l'invraisemblance, liée, si elle était démontrée, à l'ajournement, ne repose, faute de points de repères fixes, que sur une impression subjective ou un jugement arbitraire du lecteur non averti. Pour que quinze ans se soient passés entre l'envoi et la publication de l'article, il faudrait que celle-ci ait eu lieu aux environs de 1913. Cette date n'est ni plus ni moins vérifiable qu'une

---

(184) J. F. Revel, op. cit.
(185) Cf. II, 347, et III, 567.
(186) Cf. III, 12-13.

autre comprise entre celle-ci et le début du siècle.
Et si l'on fixe à 1899 le second séjour à Balbec
et, par voie de conséquence, à 1900 ou 1901 au
plus tard ce premier succès littéraire du narrateur, qu'advient-il du reproche d'insensibilité
au temps ? Ailleurs il serait peut-être dans une
certaine mesure justifié ; ici, dans *La Fugitive* —
l'article du *Figaro* n'est qu'un exemple parmi
d'autres — il est sans objet, car plus le récit progresse, et avec lui cette recherche qui en est le fil
conducteur, plus, au lieu de le retrouver, on perd
le temps, non au sens du gaspillage et de l'oubli, mais comme on dit qu'on perd son chemin (186 bis), et peut-être son âme. Le lien étroit,
indissoluble, que le langage établit entre l'accep-
tation concrète et abstraite, matérielle et spiri-
tuelle de vocables comme perdre, se perdre, errer,
égarement, dévoiement, dissolution, etc..., se
répercute dans les profondeurs de l'univers
proustien où l'enlisement dans le péché, le sentiment de culpabilité et de perdition se manifes-
tent et se dissimulent tout ensemble dans la désagrégation du temps. Contester que, dans cette
dernière période de création, les progrès de la

(186 bis) Cf. G. Poulet, *L'Espace Proustien* (N.R.F.,
Janvier 1963, p. 36-37) : « perdus [le temps et l'espace]
au sens où l'on dit qu'on a perdu son chemin, qu'on
recherche sa route. Mais perdus aussi, au sens où l'on
dit qu'on a perdu ses bagages, perdu les grains d'un
collier qui s'est défait. »

maladie, l'abus des somnifères et des excitants,
le manque de temps, de forces et de pouvoir de
concentration aient empêché Proust de résoudre
de nombreuses contradictions dues à sa manière
de composer (juxtaposition de fragments datant
d'époques différentes, marges, « paperoles », etc.)
serait aller à l'encontre de l'évidence. Seulement,
l'essentiel n'est pas là. Si dans *La Fugitive*, à partir d'un certain moment, le temps n'a plus aucune
réalité, ce n'est pas simplement le fait d'une baisse
des facultés physiques et intellectuelles du
romancier débordé par la richesse de son affabulation et n'ayant plus ni la patience ni le courage
d'élaguer, puis de raccorder les pages raturées et
couvertes de surcharge de son manuscrit. Dès le
début de *la Recherche* les bases fragiles de la
chronologie laissaient prévoir que le moment
viendrait où celle-ci s'évanouirait complètement
et même que cet évanouissement se produirait là
où le flot de réminiscences personnelles, trop
personnelles, et l'obsession du péché obligeraient
Proust à s'identifier, comme par un dernier
réflexe de défense, avec ce narrateur tellement
plus innocent que lui.

Après l'épisode de la fuite et de la mort d'Albertine, cette identification avec son héros, que
le romancier croit maintenant assez différent de
lui-même, et définitivement fixé dans cette différence, assez pur en somme pour se servir de son
portrait comme d'une masque (mais les trous du

masque demeurent), cette identification est presque chose faite. A bien des détails, glissés incidemment dans les méandres du récit et qui révèlent brusquement de troublantes affinités entre
le narrateur et les personnages les plus tarés de
La Recherche, on devine que Marcel, qui n'aime
plus que la jeunesse, et tout particulièrement les
jeunes ouvrières, sacrifie désormais au même
culte que Legrandin, Charlus et Saint-Loup, pour
ne nommer que ceux-là. Dès lors, comment éviter d'être reconnu et jugé ? En se cachant derrière les autres personnages du roman, en se
retranchant derrière le caractère fictif du
livre (187), mais surtout en escamotant le temps.
Non par cette « absence totale de dates, de chronologie » qui, à en croire Mme de Gramont (188),
se manifeste dans tout l'œuvre de Proust et à
laquelle, en réalité, après le premier chapitre de
Du côté de chez Swann, peut-être parce qu'« il
aime l'exactitude en tout » (189), même dans les
artifices et la supercherie, il n'a plus jamais pu

---

(187) « Dans ce livre où il n'y a pas un seul fait qui
ne soit fictif, où il n'y a pas un seul personnage « à
clefs », où tout a été inventé par moi selon les besoins
de ma démonstration... » (III, p. 864). Pris à son propre
jeu, Proust ne se rend pas compte que le narrateur ne
peut pas s'exprimer ainsi puisqu'il prétend raconter
l'histoire de sa vie.
(188) Elisabeth de Gramont, *Marcel Proust* (Flamma-
rion 1948), p. 53.
(189) *Ibid.,* p. 26.

se résoudre ; mais par un mélange aussi fantai-
siste que prémédité de précision et d'imprécision
qui empêche le lecteur d'évaluer la durée de l'intervalle entre deux moment du récit et de situer
ceux-ci au moyen de renvois non contraditoires
à des événements historiques. Les différents types
de temps, subjectif, fictif, réel, autobiographique, celui du « je » engagé dans l'action et celui
du « je » qui écrit et médite, celui de Proust pendant qu'il rédige, etc..., s'annulent réciproque-
ment du moment que l'exactitude n'est plus qu'un
moyen d'induire en erreur.

« Les romanciers sont des sots, qui comptent
par jours et par années », écrit Proust (190).
Hélas ! cette sottise dès qu'on quitte la chambre
obscure de la mémoire pour remonter vers la
lumière, dans le monde des hommes et des
actions, on est bien obligé de la commettre. Une
histoire se déroule toujours dans un temps composé de jours égaux, même si pour celui qui l'a
vécue ils ne le sont pas. Et Proust, malgré l'ingé-
niosité avec laquelle il sait changer les actions
en impressions, souvent en illusions, et bien que
ce qui lui importe le plus soit de rendre la vision
des « ressouvenirs inconscients », n'échappe pas
à cette règle de tout récit qui, d'emblée ou par
degrés, s'élève du particulier au général. Les
jours qui s'écoulent entre la fuite et la mort d'Al-

---

(190) *Chroniques* (Gallimard, 1928), p. 106.

bertine sont certainement de ceux « qu'on met
un temps infini à gravir ». Il n'empêche que
Proust les compte, ne fût-ce que pour faciliter
la tâche du lecteur ou pour voiler le temps autobiographique qui leur sert de support (décembre
1913 — 30 mai 1914). Ce sont d'abord quatre
jours que le narrateur a passés dans l'angoisse (191), puis huit (192). Ce dernier chiffre
permet de fixer la mort d'Albertine à dix jours
environ après son départ. Plus vague, l'expression « à peu près six mois » (193), qui donne l'intervalle entre les deux visites d'Andrée, indique
que la dernière a dû avoir lieu à la fin de l'année où Albertine est morte ou, au plus tard, au
début de l'année suivante. Mais à partir de là,
pour les raisons signalées auparavant et qui
n'ont rien à voir, ou très peu, avec les concep-
tions esthétiques de l'auteur, le *temps disparaît* (193 bis).

Le rêve d'aller à Venise se réalise enfin « assez
longtemps après la dernière visite d'Andrée ».

(191) III, 448.
(192) III, 470.
(193) III, 596.
(193 bis) Dans *Lecture de Proust,* M. G. Picon écrit :
« Du temps perdu au temps retrouvé, le titre n'est exact
qu'eu égard aux moyens de l'œuvre. Du temps destructeur au temps détruit, ce serait le vrai titre, eu égard à
sa signification » (p. 181). Inutile de répéter que cette
destruction du temps, nous la concevons comme un fait
matériel, concrétement réalisé et nullement comme une
éternité retrouvée.

L'adverbe longtemps, premier mot du roman, a
chez Proust une signification variable et purement subjective. « Longtemps je me suis couché
de bonne heure ». Nous n'insisterons pas sur le
côté mystificateur de la phrase et qui devrait
aussitôt frapper le lecteur tant soit peu au courant de l'étrange existence de Proust. Dans le
cadre de la fiction il s'agit vraisemblablement
des « longues années » que le narrateur passe
à se soigner, loin de Paris, dans une maison de
santé (194). Longtemps, longues années, mais
combien ? Seize, selon Mlle G. Brée, qui appuie
son assertion sur un texte de Proust qu'elle ne
cite malheureusement pas. On peut tout aussi
bien, en s'en tenant à la version définitive, monter jusqu'à dix-huit ou descendre jusqu'à cinq.
Le détail autobiographique auquel renvoie cette
période ne nous éclaire pas davantage, la cure de
Proust à la clinique du docteur Solliès, à Bou-
logne-sur-Seine, n'ayant duré qu'un mois. « Assez
longtemps après la dernière visite d'Andrée » ne
nous renseigne donc que sur l'ordre des épisodes
et ne nous apprend rien sur l'intervalle qui les
sépare. Quant à la date du voyage que Proust
fit à Venise avec sa mère et au cours duquel,
comme le narrateur, il travaille à un livre sur
Ruskin (1900), elle est incompatible avec la chronologie du roman qui nous oblige de situer ce

---

(194) III, 723.

printemps vénitien au plus tôt en 1901 (195). Et
au plus tard ? Dans le restaurant de l'hôtel où
le narrateur les surprend en train de déjeuner,
l'immortel M. de Norpois semble faire à Mme de
Villeparisis, subitement ressuscitée, un exposé
sur les préludes de la crise balkanique (196). De
même, dans une première version de ce passage (197), l'ambassadeur emploie son éloquence
à chasser de l'esprit de la vieille marquise l'idée
d'une guerre avec l'Allemagne à propos du
Maroc. Est-ce la crise de 1905 qui est ainsi évoquée ou celle de 1911 ? L'allusion, dans la deuxième version, à une crise ministérielle dénouée,
peu de temps après, par Giolitti (198), ne lève pas
l'équivoque, étant donné qu'entre 1900 et 1914
Giolitti accepta à plusieurs reprises le poste de
président du Conseil. Coïncidence ou non, une
fois de plus l'histoire se fait la complice du
romancier.

Des événements qui se produisent après le
retour de Venise le plus important est le mariage
de Gilberte avec Robert de Saint-Loup. Gilberte,
à cette époque, a plus de vingt-cinq ans (199), sa

---

(195) La mélodie Sole mio que le narrateur écoute
pendant que sa mère l'attend à la gare, ne parut qu'en
1901 (Cf. J. Nathan, *Citations, références et allusions
de Proust,* Nizet 1953, p. 96).
(196) III, 632-633.
(197) III, 1052-1053.
(198) III, 635-636.
(199) Les avances que la duchesse de Guermantes

mère frise la cinquantaine ou même la soixantaine (200) et Legrandin se met au tennis à cinquante-cinq ans (201). Or, le narrateur a trente ans de moins que Legrandin (202) et à peu près le même âge que Gilberte. En admettant que lors du premier séjour à Balbec il avait dix-sept ou dix-huit ans, le troisième et le plus bref séjour à Balbec (203) au cours duquel Gilberte est déjà enceinte, devrait se situer vers 1907-1908. Mais que valent de tels raisonnements, d'ailleurs bâtis sur des hypothèses, appliqués à des personnages qui n'ont ni âge fixe ni date de naissance ?

« Un peu plus tard » le narrateur va passer quelques jours à Tansonville (204). L'expression « un peu plus tard », ainsi que longtemps, récemment, etc., n'implique aucune valeur de temps

---

fait à Gilberte pendant l'hiver où le narrateur commence à oublier Albertine « venaient *après vingt-cinq ans* d'outrages » (III, 578). Gilberte étant née avant le mariage de ses parents a donc un peu plus de vingt-cinq ans. Ajoutons qu'au cours de la soirée chez la princesse de Guermantes, la duchesse dit au narrateur : « ...ce ne serait pas le moment pour moi de faire la connaissance de ces deux créatures (Odette et Gilberte) qui m'ont privée du plus agréable de mes amis *pendant quinze ans...* » (III, 680-681). Ces paroles sont prononcées en 1899; on pourrait en conclure que Gilberte n'est reçue chez la duchesse que dix ans plus tard, vers 1908-1909.

(200) III, 684.
(201) III, 1116, Note 1 de la p. 665 - addition autographe.
(202) III, 928.
(203) III, 680.
(204) III. 677.

précise. Davantage, ici, à la fin de *La Fugitive*,
comme elle ne se rapporte a aucun moment antérieur, elle ne peut même pas prétendre mesurer
le temps : sa fonction logique est à peu près
nulle.

Si dans *Combray* on discerne à peine la chronologie à travers l'écran des années et des jours
confondus, l'impression du temps qui passe, qui
est passé, qui ne reviendra plus, impression
mélancolique et familière (205), est au moins
aussi forte que dans les plus belles pages de
David Copperfield ou de *l'Education Sentimen-
tale*. Tandis que dans *La Fugitive*, et plus encore
dans la dernière partie du roman, malgré le titre
qu'elle porte, le temps qui nous échappe, « c'est
du temps qui meurt » (206), qui meurt définitivement. L'admirable effort intellectuel de Proust
pour échafauder une théorie esthétique du
roman capable de prêter à ce tarissement, à cette
suppression, le caractère d'une restitution inté-
grale ne parviendra pas à communiquer au lecteur, non l'idée, mais le sentiment d'une victoire
sur le temps. Le temps retrouvé restera, ce que,
coupé de tout élan mystique véritable, il ne pourrait cesser d'être : une vue de l'esprit.

---

(205) Cf. Micheline Sauvage : *Temps proustien et
temps populaire,* dans Esprit (février 1956).
(206) R. Fernandez, *Proust,* p. 155.

VII. — LE TEMPS RETROUVE

Le troisième volet du triptyque initialement prévu par Proust s'ouvre sur le séjour à Tansonville, annoncé dès les premières pages du roman. A l'époque où il expliquait dans une lettre à Lucien Daudet pourquoi le narrateur, en se rendant à Tansonville, rendait en même temps visite à Mme de Saint-Loup, Agostinelli n'étant pas encore mort ni la guerre déclarée, en un mot les développements futurs de l'œuvre n'étant pas encore envisagés, Proust n'avait probablement pas arrêté la date de cette visite, qui normalement aurait dû avoir lieu avant 1913. C'est pendant la « saison chaude » (207) de cette année qu'elle a été finalement située, avec une précision qui laisse perplexe et dont, cette fois-ci, seule la méthode de travail de Proust est responsable.

Au cours de la visite à Tansonville, ou tout de suite après, Saint-Loup dit au narrateur : « ...je suis avec passion la guerre balkanique... Hé bien ! si spéciales que soient ces guerres balkaniques, Lüle-Burgas c'est encore Ulm... » (208). Or cette bataille de Lüle-Burgas, livrée le 30 octobre 1912, on la retrouve mentionnée sur un des placards du *Côté de Guermantes*. A l'endroit

---

(207) III, 691.
(208) III, 705.

où, à Doncières, Saint-Loup expose ses idées sur
la stratégie militaire, Proust a noté, puis biffé
ceci (en 1920 sans doute) : « Nota Bene : ...D'autre part avant la guerre Saint-Loup me compa-
rera Loullé-Bourgas à Ulm... » (209). Cette note,
quoique biffée, a été incorporée au texte, le travail de correction et celui de composition de l'ouvrage progressant parallèlement, avec bien des
fois, comme ici, des échanges et des récupéra-
tions qui ne laissent pas d'influer sur la chronologie. Cependant la date de 1913 (ou même 1914)
pour la visite à Tansonville, si elle surprend, n'est
pas à proprement parler un anachronisme.
Qu'importe le millésime en l'absence de toute
chronologie ? Mais ailleurs la simultanéité du
travail créateur et du travail préparatoire, le
mélange encore plus intime entre le texte rédigé
et le carnet de bord de l'écrivain aboutit à des
anachronismes flagrants.

C'est ce qu'on constate par exemple dans un
long développement, en partie à l'état d'ébauche, dans lequel est relatée la visite de Saint-
Loup chez le narrateur, au commencement de
1916 (210). Saint-Loup est en train de discourir
sur la science militaire. Après une soixantaine de
lignes, Proust note entre parenhèses : « (voir
Bidou du 2 juillet 1918) ». Un peu plus loin, en

---

(209) II, 1140 (Note 1 de la p. 116).
(210) III, 1123 (Note 2 de la p. 759).

poursuivant son exposé, Saint-Loup dit :
« Bidou cite les Alliés sur la Somme ». Et enfin
les préoccupations, sinon la voix même de Proust
se substituent complètement à celles du personnage qui parle : « Puis les Allemands à leur tour
adoptent cette théorie en 1918 et alors Bidou
explique curieusement (2 juillet 1918)... » Ainsi,
le récit dévie peu à peu, et du début de 1916 nous
passons à l'été 1918.

Considérés sous un autre angle que celui du
métier, des anachronismes comme celui-ci, et
bien d'autres encore tout au long du roman sont
la rançon du sens historique de Proust. Le caractère double de l'œuvre, si souvent mis au service d'une certaine duplicité de l'auteur à l'égard
du lecteur, se manifeste aussi dans le projet de
Proust d'écrire un livre qui soit une nouvelle version à la fois des *Mille et une Nuits* et des *Mémoires* de Saint-Simon (210 bis). Or on n'écrit pas les
mémoires de son temps en se plaçant en marge
ou au-dessus du temps ; on ne décrit pas les
transformations de la haute société parisienne
pendant la guerre dans un cadre autre que celui
des événements historiques qui les ont condition-
nées. De sorte que l'intérêt pour le document
d'époque, si vif chez Proust, le respect de l'histoire, s'accompagnent nécessairement d'un

----

(210 bis) Balzac aussi conçoit son œuvre « comme
les *Mille et Une Nuits* de l'Occident ».

retour, ne fût-ce que momentané, au temps objectif. Retour assez sensible dans la partie du *Temps
retrouvé* qui traite des années de guerre, mais
qui, paradoxalement, semble porter le coup de
grâce à la chronologie de l'ensemble du roman.
L'étude de mœurs consacrée aux années de
guerre, les épisodes qui s'y rattachent et que le
plan primitif de l'ouvrage ne comportait bien
entendu pas, du moins dans le même contexte,
ont obligé Proust à déplacer la matinée chez la
princesse de Guermantes et à la situer, pensent
plusieurs critiques, en 1920. Le choix de cette
date, date que Proust aurait probablement indiquée lui-même et qu'on peut admettre à la
rigueur, bien qu'on ne voit pas très bien pourquoi
celle-ci plutôt qu'une autre (211), s'explique sans
doute par le souci des commentateurs de faire
tenir la durée du roman dans les limites de la vie
du romancier. Proust étant mort en 1922, il fallait
que la matinée Guermantes soit placée quelque
part, et de préférence au milieu, entre novembre
1918 et novembre 1922. Cela paraît logique et le
serait effectivement, mais à deux conditions :
que la *Recherche* soit une autobiographie ; que
le mouvement d'anticipation qui entraîne le nar-

---

(211) L'allusion aux tournées de Réjane (III, 997),
déjà très vague en elle-même, ne prouve strictement rien
étant donné le désordre qui règne dans cette partie du
Temps retrouvé et l'abondance des passages ajoutés
après coup au fond primitif de l'ouvrage.

rateur, dont l'âge se rapproche de plus en plus de
celui de l'auteur (212), Bloch (213), le duc de Cha-
tellerault (214), etc., ne se complique pas de ce
que, par rapport à la date limite de 1922, on
pourrait appeler un *temps posthume.* Ces conditions ne sont pas remplies. Le roman de Proust
n'emprunte à l'autobiographie que sa forme —
encore faudrait-il faire quelques réserves à ce
sujet — et son apparente désinvolture (215) ;
quant au fond, les éléments autobiographiques
non transposés en matière romanesque n'affleu-
rent à la surface du récit que d'une manière
intermittente et énigmatique, sans quoi le problème de la chronologie ne se poserait peut-être
pas, en tout cas pas de la même façon. En ce qui
concerne le *temps posthume,* nous croyons y dis-
cerner un des aspects fondamentaux non seulement du *Temps retrouvé* mais encore du plan
général de l'ouvrage. Celui-ci, qui ne le sait, est
conçu théoriquement comme un cercle ou une

---

(212) La duchesse de Guermantes dit au narrateur :
« Vous auriez été d'âge à avoir des fils à la guerre »
(III, 930).

(213) III, 928.

(214) III, 921.

(215) On ne comprend cependant pas la sévérité
d'un jugement tel que celui de F. C. Green qui taxe
d'ineptie tous ceux qui considèrent la *Recherche du
temps perdu* comme un livre de mémoires ou comme
une autobiographie (F. C. Green, *The mind of Proust*
(1949), p. 29).

boucle, bouclée lorsque le héros du livre, après
d'interminables années d'oubli, d'indifférence,
d'indécision et de paresse (216) devient enfin
l'*étrange humain* qui s'enferme définitivement
chez lui pour écrire l'histoire de sa vie. De sorte
que l'auteur termine son livre au moment précis
où le narrateur commence le sien, celui-ci étant
à celui-là ce que l'image virtuelle est à l'objet
réel et leur différence se réduisant ainsi à un
simple décalage dans le temps. Cette distance
dans le temps, qui n'existe que parce que le narrateur n'a pas le même âge que l'auteur et surtout parce que les quinze années que ce dernier

---

(216) En fait la stérilité totale du narrateur dans
le domaine littéraire n'est qu'une affectation. Les détails
ne manquent pas qui montrent qu'il s'est mis au travail bien avant la matinée Guermantes et même avant
l'épisode de la madeleine, antérieur à celle-ci. Pour qui
s'intéresserait à cette question voici quelques références :
A l'époque où Albertine habitait chez le narrateur
celui-ci avait déjà noté un récit relatif à Swann (III,
366-367) ; à la même époque Françoise parlait déjà de
classer « toutes les *paperoles* de Monsieur », et plus
tard, à force de vivre de la vie du narrateur « elle s'était
fait du travail littéraire une sorte de compréhension
instinctive » (III, 1034). Plus loin le narrateur déclare :
« J'avais eu de la facilité jeune, et Bergotte avait trouvé
mes pages de collégien parfaites » (III, 1041). Sur le
manuscrit une note de la main de Proust donne la clef
de cette ligne : « Allusion au premier livre de l'auteur,
les Plaisirs et les Jours » (III, 1149 - Note 1 de la p.
1041). — On trouvera d'autres renseignements sur les
activités littéraires du narrateur dans I, 96 ; III, 78,
645, 833, 966, 1020.

a consacrées à l'élaboration et à la composition
de la Recherche y ont été intégrées (mais sous un
tout autre aspect que celui de période créatrice),
est l'expression formelle de la différence que
Proust a patiemment établie entre lui et son personnage principal, ou, si l'on préfère, son double.
Qu'en fait cette différence s'atténue progressive-
ment, ne diminue en rien, vu que l'un commence
après la guerre ce que l'autre avait ébauché en
1907, l'écart chronologique entre le narrateur et
l'auteur. Le premier ne rattrapera jamais le
second : en réalité la forme du livre, cela vaut
pour les parties comme pour le tout, n'est pas un
cercle, mais, figure symbolique de l'univers en
expansion imaginée par Proust, une spirale.

Le Marcel du livre commence donc son existence d'artiste, du moins en apparence, le lendemain de la matinée Guermantes, c'est-à-dire, si
l'on retient la date de 1920, peu de temps avant
la mort de son créateur, et avec le sentiment d'angoisse qui étreignait Proust pendant les dernières années de sa vie. En combien de temps vien-
dra-t-il à bout de la tâche qu'il se propose et
s'impose au cours de sa méditation dans la
bibliothèque du prince de Guermantes ? Il parle
d'abord des « mois nécessaires pour écrire ce
livre » (217) ; ensuite il pense qu'il lui « faudrait
beaucoup de nuits, peut-être cent, peut-être

---

(217) III, 1038.

mille » (218). En fait il n'y a aucune raison pour
que le livre fictif se fasse plus vite ni moins vite
que le livre réel. Aussi la composition de l'ouvrage se prolongera-t-elle dans un avenir imaginaire, inconnu, mais dont il faut tenir compte.
D'autant plus que d'autres événements, d'autres
personnages y occupent une place : la promenade au Bois sur laquelle s'achève *Du côté de
chez Swann* ; une soirée donnée par Gilberte,
moins de trois ans après la matinée Guermantes,
et au cours de laquelle le narrateur revoit
Madame de Forcheville, devenue si vieille, si fai-
ble « qu'elle n'osait même plus se défendre... contre les hommes », comme « bientôt elle ne se
défendrait pas contre la mort » (219) ; le mariage
de la fille de Gilberte avec un obscur homme de
lettres ; et surtout la mort de M. de Charlus.

Peu de temps après celle-ci on apporte au
narrateur une lettre écrite par le défunt baron
« au moins dix ans avant sa mort » (220) et aussi
avant la matinée Guermantes. Cette lettre, rédi-

---

(217) III, 1043.
(219) III, 952. Au sujet de ce développement une
note de l'édition Clarac précise : « Il est probable que
sa composition remonte à une époque assez ancienne »
(III, 1141. Note 1 de la p. 951). Il est probable également qu'à cette époque-là Proust ne situait pas la matinée Guermantes après la guerre et que le *temps posthume* ne provient ici que de l'insertion du passage dans
la version définitive.
(220) III, 804-805.

gée à un moment où le baron, gravement malade,
avait pensé mourir, était restée ensuite sept ans
dans un coffre-fort, « sept ans pendant lesquels
il avait entièrement oublié Morel » (221). Or, le
lendemain de la promenade que Charlus fait en
compagnie du narrateur en 1916 (222), il rencontre Morel et lui dit : « Je me vengerai » (223). La
lettre, qui contient une confession de Charlus au
sujet de son intention de tuer le violoniste,
n'étant par conséquent pas écrite en 1916 ou 1917,
la mort du baron doit se situer vers 1927 au plus
tôt, ce qui n'exclut bien entendu pas 1930 ou
1932, un Charlus nonagénaire (224) étant tout à
fait conforme à la vision proustienne. Comme
entre la mort de Charlus et la matinée Guermantes l'intervalle est de sept ans au maximum (ce
jour-là Charlus ne pensait plus à Morel), la dernière réception de l'ex-Madame Verdurin peut

---

(221) III, 805.
(222) Ou en 1917, car au cours de la même promenade Charlus dit que « les Américains ont commencé
(la guerre) quand nous étions quasiment finis » (III,
794) et parle du « malheureux Czar » et de la « Russie
libre » (III, 798), bien que la Roumanie ne soit pas
encore entrée dans la guerre (III, 785). Quant à l'allusion à *Tendres Stocks* de Morand, il ne peut s'agir que
d'une inadvertance.
(223) III, 779.
(224) Au cours d'une soirée à la Raspelière, Charlus
dit : « Je n'ai jamais entendu jouer Chopin... et pourtant j'aurais pu... ». Rappelons que Chopin est mort en
1849.

fort bien avoir eu lieu au printemps ou pendant
l'été 1920, mais tout aussi bien quelques années
plus tard, notamment en 1923, ce qui la situerait
dans le *temps posthume*.

En somme, cette matinée chez la princesse
de Guermantes n'est pas plus localisée dans le
temps que la plupart des épisodes postérieurs au
second départ pour Balbec. Mais à la différence
de ceux-ci, même de la sombre histoire d'Albertine, elle baigne dans une prodigieuse atmosphère
d'irréalité, qui correspond sans doute au dessein
de Proust, mais par moments semble le dépas-
ser. Ce n'est plus alors qu'une féerie lugubre,
monstrueuse, contemplée par l'œil illuminé d'un
sadique, qu'un spectacle shakespearien fait de
la matière des rêves et peuplé de personnages
de légende (225). Personnages dont l'âge ne paraît
si fantastique au narrateur que parce qu'il en
découvre trop brusquement la réalité, comme
autrefois, à son retour de Doncières, celle d'une
grand-mère, expliquait-il « ayant ce que je ne
lui avais jamais connu, un âge... » (226).

Quel est l'âge de ces fantômes ? A deux exceptions près, nous l'ignorons ; d'ailleurs il ne ser-
virait à rien de le connaître : il ne permet pas
plus de dater les épisodes que la date de ceux-ci

---

(225) Cf. A. Maurois, *A la Recherche de Marcel
Proust*, p. 260.
(226) II, 140.

de l'évaluer avec justesse. Mme Verdurin, le
prince de Guermantes, d'Argencourt sont tous
écrasés par le poids des ans. Rien d'invraisem-
blable à cela (dans la classe sociale que fréquen-
tait Proust le nombre d'octogénaires est relativement élevé). Mais ces années qu'ils traînent après
eux ne semblent pas s'être accumulées dans le
temps. Tout se passe comme si, au moment
même où la réalité et la menace du Temps s'ape-
santissent sur le narrateur, le lecteur, après plus
de mille pages de cheminement incertain, en
avait complètement perdu la notion. Le temps
lui est devenu si étranger qu'il n'en reconnaît
plus la marque sur les êtres métamorphosés. Les
cheveux blancs, le regard vitreux, les pas trébu-
chants restent les attributs de la vieillesse, mais
d'une vieillesse en quelque sorte éternelle que la
poésie arrête indéfiniment au seuil de la
mort (227). Les quatre-vingt-trois ans du duc de
Guermantes (228) évoquent quelque chose de ter-
rible, sans que ce soit nécessairement le tombeau.

_____

(227) Le sentiment du temps et de la mort se réfu-
gie tout entier dans la voix de Proust. Parmi les innombrables exemples qu'on peut citer, nous choisissons la
phrase suivante : « Mais déjà vient la nuit où l'on ne
peut plus peindre, et sur laquelle le jour ne se relève
pas » (III, 1035). L'énumération que fait Charlus de
tous ses parents et amis morts est un morceau prodigieux mais plutôt destiné à compléter le portrait du
personnage.
(228) III, 1048.

Peut-être parce que, l'habitude étant prise, des
précisions de ce genre, qui intriguaient et dérou-
taient avant le voyage à Venise, n'éveillent plus
aucune association d'idées, aucun besoin de sur-
vol chronologique. On a beau savoir qu'en 1898
le duc de Guermantes était un « énorme gaillard
vieillissant » (229), qu'il est l'aîné de son frère
Palamède (230) et que par conséquent son âge à
l'époque de la matinée musicale pourrait éven-
tuellement mettre un peu d'ordre dans la chronologie, tous ces détails laissent complètement
indifférent. Il en est de même de l'âge de Mlle
de Saint-Loup. Elle a environ seize ans (231), car
il faut qu'elle soit très jeune pour remplir sa
fonction de personnage symbolique, de clef de
voûte du roman. Le chiffre exact des années n'a
cependant aucune espèce d'importance. L'idée
ne viendrait à personne, en se fondant sur l'hypothèse que la matinée Guermantes a lieu en
1920, de compter les années en arrière pour établir que la fille de Gilberte est né en 1904. Peine
perdue, du reste : il y a absence complète de
dates sur la fiche d'état-civil du personnage
proustien. Le lecteur le sait et ne s'en soucie
guère.

Réussite totale que cette abdication, cette sou-
mission à la volonté secrète du romancier ! Que

_____

(229) II, 223.
(230) II, 717.
(231) III, 1031.

pouvait-il souhaiter de plus que de chasser hors
du temps, hors de son temps à lui, son lecteur,
son ennemi, son juge ? Cependant, l'instinct étant
le plus fort, il continue à brouiller des pistes
inexistantes. Il n'est évidemment pas question de
dates comme 1914, 1916 ou 1917 auxquelles les
descriptions du Paris des années de guerre renvoient tout naturellement. C'est à l'intérieur de
ces années que les jours déracinés s'emmêlent
et partent à la dérive. Peut-être simulés, les
efforts du romancier pour se raccrocher aux
débris du temps font penser à ceux d'un homme
qui se noie. Naufrage de la mémoire (232) ? Jeu
trompeur qui tourne à la débâcle ? L'un n'exclut
pas l'autre : dans le mirage proustien rien n'est
l'effet d'une cause unique. Souvent il ne suffit
pas de toute la magie, de tout le drame de la
Recherche pour rendre compte d'une seule contradiction, même anodine. Dans telle d'entre
elles, simple lapsus, ou exemple d'absence de
synchronisation, ou encore échantillon d'une
technique spécialement mise au point pour entretenir la confusion dans l'esprit du lecteur, on
redécouvre cet empiètement si caractéristique, et
sans doute lié au climat parisien, des fins d'an-

---

(232) Les articles sur Flaubert et Baudelaire de janvier 1920 et juin 1921, où Proust cite constamment de
mémoire, sont plutôt de nature à infirmer cette hypothèse ou en tout cas à en restreindre considérablement
la portée.

nées sur l'automne qui les précède ou des débuts
d'année sur le printemps et l'été suivants. Est-ce
pour cette raison que Gilberte quitte d'abord
Paris pour Combray « à peu près en septembre » (233), puis, un peu plus loin, « à la fin de
1914 » (234) ? Le second séjour du narrateur à
Paris, qui dure à peine deux semaines, soulève la
même question. Il revient à Paris au commencement de 1916 (235) et il trouve la ville sous la
neige (236). Mais le soir de la promenade avec
M. de Charlus il fait encore un peu jour à huit
heures et demie (237) et c'est le plein été (238) !
D'autre part, nous avons vu que certaines allusions historiques introduites dans les monologues
à la Montesquiou du baron (en revanche le narrateur est un être quasi muet, bien que l'auteur
de la *Recherche* fût connu pour sa verbosité,
encore récemment imitée à la Télévision dans
une émission consacrée à Proust) situent cette
promenade en 1917. En fait, comme Swann n'est
que très superficiellement Charles Haas ou
Ephrussi, Charlus n'est ni tel gros baron, ni tel

-----

(233) III, 751.
(234) III, 755.
(235) III, 723.
(236) III, 736.
(237) III, 762.
(238) Bien que le manuscrit n'indique pas l'endroit
précis où devait s'insérer ce développement, il ne fait
pas de doute que par son début (III, 762, 1.12) il se rattache au contexte du second séjour à Paris.

comte loquace et ivre d'orgueil, ni Oscar
Wilde (239), mais Proust lui-même. Les personnages qui gravitent autour de Charlus gravi-
taient également autour de Proust : Morel, en
même temps que bien d'autres (239 bis), est
encore Agostinelli, Jupien est Albert et l'hôtel de
Jupien une bien triste réalité. Dans et contre cette
réalité le romancier se débat éperdument. Parfois on sent nettement, jusque dans le style, cette
espèce de déséquilibre d'homme traqué. « Le lendemain du jour où j'avais reçu cette lettre (de
Gilberte), c'est-à-dire l'avant-veille de celui où,

---

(239) M. Léon Guichard, dans une des notes de son
Introduction à la lecture de Proust, dit avoir retrouvé
dans Oscar Wilde la phrase au sujet de la Tristesse
d'Olympio de l'Homosexualité que Charlus applique à
une scène de Balzac (II, 1050). Cette formule, qu'elle
soit ou non de Wilde, est pourtant utilisée par Proust
lui-même lorsqu'il explique l'œuvre de Balzac à sa
mère. (*Contre Saint-Beuve,* p. 219). Il est clair d'autre
part que si Charlus fait penser à Vautrin, il rappelle également Phèdre, héroïne à laquelle il est si souvent fait
allusion dans la *Recherche.* De même les nombreuses
références à Esther et Athalie s'expliquent en partie
par ce qu'on pourrait appeler le complexe judéo-pédé-
rastique de Proust.
(239 bis) Dans la *Religieuse,* Roman qui a dû pro-
duire une profonde impression sur Proust, c'est un
certain dom *Morel* qui enlève la sœur Suzanne *Simonin.*
Ajoutons, à titre de curiosité, que, dans sa Correspon-
dance, Madame conte l'histoire « d'un gentilhomme pro-
vincial, nommé Morel, qui vendait des jeunes garçons
comme des chevaux et se rendait au parterre de l'Opéra
pour y faire ses marchés ». (Charles Kunstler, *La vie
quotidienne sous la Régence,* p. 91).

cheminant dans l'obscurité, j'entendais sonner
le bruit de mes pas, tout en remâchant tous ces
souvenirs, Saint-Loup, venu du front, sur le point
d'y retourner, m'avait fait une visite de quelques
secondes seulement... » (240). Notons au passage
qu'à Doncières, en passant en tilbury près du narrateur, Saint-Loup le salue le visage immobile,
en se contentant « de tenir pendant deux minutes sa main levée au bord de son képi » (241). Ce
salut de deux minutes est du même ordre d'invraisemblance que la visite de quelques secondes, au cours de laquelle Saint-Loup ne manque
pas d'entrer dans de longues considérations sur
la stratégie militaire. Détails insignifiants, certes, mais détails d'un style qui s'affirme constamment comme « une question non de technique
mais de vision ».

Rien de visionnaire, par contre, dans les
autres précisions qu'apporte la phrase. Plutôt
quelque chose de tâtillon, de maniaque, qui agace
parce qu'on n'en comprend pas la raison.
Essayons pourtant de comprendre. Le narrateur, docteur Jekyll, passe les années de guerre
loin de Paris, dans une maison de santé. Pendant ce temps son double, M. Hyde, c'est-à-dire
Proust, mène à Paris une vie en partie clandestine qui par certains côtés rappelle fâcheusement celle de M. de Charlus. Il fallait donc, pour

---

(240) III, 756.
(241) II, 138.

réduire le risque d'identification, abréger le plus
possible les deux séjours à Paris (deux mois en
1914, moins de deux semaines en 1916), donner
une raison valable pour chacun (visite médicale
en 1914, manque de personnel médical en 1916)
et enfin, à défaut de motif, celui-ci étant oublié,
rendre un compte exact de son emploi du temps
au cours du second. Emploi du temps esquissé
dans la phrase que nous citions plus haut. Complété au moyen de recoupements, l'ordre de succession des événements au cours du second
séjour à Paris est le suivant : arrivée à Paris ; le
lendemain, lettre de Gilberte ; le jour d'après,
visite de Saint-Loup ; le surlendemain de cette
visite, promenade avec M. de Charlus ; quatre
jours plus tard, mort de Saint-Loup ; départ de
Paris, un peu retardé par la triste nouvelle que
le narrateur vient d'apprendre. Il ne faut pas être
très exigeant pour admettre qu'il s'agit là d'un
véritable emploi du temps, mais toutes ces précisions sont absurdes, et c'est cela qui compte en
définitive. L'ordre de succession des jours importe si peu qu'en le reconstituant plus loin partiellement Proust ne s'en souvient plus ou l'in-
tervertit à dessein : « ...le lendemain même du
soir où je l'avais vu (Saint-Loup), et deux jours
après que le baron avait dit à Morel : Je me vengerai... » (242). Or M. de Charlus ayant menacé

_____

(242) III, 852.

Morel le lendemain de la promenade avec le narrateur (243), il semble maintenant que celle-ci ait
eu lieu avant la visite de Saint-Loup.

Il serait facile, trop facile, de tout ramener à
l'état d'inachèvement du texte. On peut par exemple alléguer, non sans raison, qu'il existe des passages qui montrent clairement que le séjour de
1916 était primitivement conçu comme une
période très longue, peut-être comme un retour
définitif à Paris, ce qui explique, tant bien que
mal, certaines contradictions ; et, d'une manière
plus générale, que, le *Temps Retrouvé* étant une
mosaïque de fragments dont bien des fois la place
exacte n'est même pas indiquée, il serait malhon-
nête d'étayer sur tel ou tel anachronisme toute
une théorie sur la psychologie ou la psycho-
pathologie proustiennes. La faiblesse de ces argu-
ments reside dans le fait que les parties achevées
du roman, celles qui ont été corrigées et publiées
du vivant de Proust, présentent, un peu moins
accusées seulement, les mêmes anomalies, les
mêmes incompatibilités. On prétend cependant
qu'avec un peu plus de temps et de santé Proust
aurait fait disparaître celles qui déparent les derniers volumes. Nous pensons qu'il en aurait probablement éliminé beaucoup, mais pour leur en
substituer ou ajouter, quelques-unes à son insu,
ce qui revient au même, bien d'autres.

---

(243) III, 779.

De toutes manières, à condition d'avoir lu
sans interruption les trois mille pages du roman,
on finit par se persuader que le romancier égare
et s'égare. Et il est juste et beau après tout que
telle soit notre impression à la fin d'un livre qui,
malgré sa lumière et sa poésie, est essentiellement, non l'histoire, le terme, bien que Proust
l'emploie (244), est inadéquat, mais « la sublime
phrase intarissable » (245) d'un égaré (246).

*
* *

Cette étude n'est pas exhaustive. Bien des
détails qui à la fois aident à reconstruire des parties et empêchent d'ordonner l'ensemble de la
chronologie ont été volontairement omis (247)

---

(244) « la vocation invisible dont cet ouvrage est
l'histoire » (II, 397).

(245) Cf. II, 1010.

(246) *Egaré* doit être pris dans un sens beaucoup
plus large que celui qu'aurait pu lui donner Henri Mas-
sis dans son admirable et impitoyable essai *Le Drame
de Marcel Proust* (Grasset, 1937).

(247) En voici quelques-uns : allusion aux Universi-
tés populaires (I, 738), situe le premier séjour à Balbec
en 1898 ; l'académicien Boissier reçu chez Mme de Villeparisis (II, 1056), situe le second séjour à Balbec en ou
avant 1908; après le départ d'Albertine, dans une des
lettres qu'il lui écrit, le narrateur lui demande de
décommander la Rolls qu'il voulait lui acheter (la première Rolls-Royce est sortie en 1904); dans les pages du
pseudo-Goncourt on apprend tout à coup que Mme Ver-

pour ne pas encombrer de répétitions inutiles la
discussion d'un problème déjà suffisamment
touffu et rébarbatif en lui-même. Les redites fas-
tidieuses ont été évitées aussi dans l'analyse d'un
grand nombre d'anachronismes et de contradictions de toutes sortes. L'ajournement, symptôme
d'une maladie de la volonté qui a des incidences
profondes sur la perception du temps, n'explique pas seulement pourquoi Swann oublie toujours de demander à Vinteuil s'il connaît l'auteur
de la sonate, Bloch au narrateur qui est la personne avec laquelle il l'avait vu au Jardin d'Ac-
climatation (248), pourquoi le narrateur se rappelle souvent trop tard qu'il voulait poser une
question, à Mme Verdurin, à Swann (249), à
Andrée (250), ou encore pourquoi, par un pro-
cessus plus complexe, le désir de rencontrer la
première femme de chambre de la baronne Putbus, personne dont Saint-Loup lui avait vanté les
charmes faciles au cours de la soirée chez la
princessse de Guermantes, persiste en lui pendant des années et provoque finalement le petit
drame avant le départ de Venise (251) ; il donne

---

durin est la Madeleine de Fromentin (encore un cas de
longévité assez extraordinaire); etc., etc.
    (248) I, 777.
    (249) III, 201.
    (250) III, 613.
    (251) A noter que dans *Contre Sainte-Beuve* où l'on
trouve déjà l'esquisse de cet épisode, c'est exactement
le contraire qui se produit : c'est la mère de Marcel,

aussi, bien que par souci de simplification nous
ne l'ayons pas signalé, un fondement psychologique solide à la fantasmagorique matinée musicale du *Temps retrouvé,* à la révélation si tardive de la vieillesse et de la mort, enfin à une
foule de détails intéressant l'âge du narrateur, de
Bloch, de Saint-Loup (252), etc., ainsi que la structure chronologique de l'ensemble du roman. Il
en est de même de beaucoup d'autres facteurs
qui altèrent la chronologie et dont l'influence,
malgré le peu de lignes que nous lui avons consacrées, se manifeste plus d'une fois dans le dérè-
glage du temps.

Quels sont ces facteurs et quelle est leur
importance respective ? Nous pouvons maintenant, au terme de cette étude, essayer de les
introduire dans une sorte de tableau récapitula-
tif, plus commode qu'une simple énumération.

---

qui, abandonné à Venise, le rejoint au dernier moment
à la gare. On voit comment le thème de l'ajournement,
ou de l'arrêt du temps, façonne le contenu même du
récit.

(252) Après la mort de Saint-Loup : « Sa vie et celle
d'Albertine, si tard connues de moi, toutes deux à Balbec, et si vite terminées,... je ne pouvais me consoler
que la sienne (celle d'Albertine) comme celle de Saint-
Loup eussent été si courtes ». (III, 848). Au moment de
sa mort Saint-Loup doit avoir environ quarante ans,
sinon davantage. Mais dans l'esprit du narrateur il n'a
pas cessé d'être un adolescent et d'avoir l'âge d'Albertine.

Classement	Enumération	Facteurs matériels	Facteurs esthétiques	Facteurs psychologiques	Facteurs pathologiques (1)
Manière de composer					
1	Dimensions et durée de composition du roman	+ (2)	— (3)	|	|
2	Remaniements du plan de l'ouvrage et rédactions multiples du même passage	+	|	|	|
3	Additions	+	|	|	|
4	Déplacement de fragments	+		|	|
5	Insertion fréquente de morceaux contenus dans des carnets de notes, articles, ouvrages antérieurs.		|	|	|
Méthode de travail					
6	Ecriture difficile à déchiffrer même par l'auteur	++	|	|	|
7	Hâte	++	|	|	|
8	A partir d'une certaine époque manque de livres pour vérifier les références	+	|	|	|

	I	II	III	IV
9 Désordre des manuscrits				+
10 Notes de travail mêlées au texte rédigé (p. 131)				+
Conception du temps et de l'œuvre littéraire				
11 Théorie de la mémoire involontaire	++ (4)	++	++	
12 Interpolation des temps	+	+	+	
13 Notation subjective des intervalles de temps (p. 71)			+	
14 Imbrication de périodes qui dans le récit forment une suite (p. 63)	+	+	+	
15 Emploi systématique de l'imparfait (p. 63)	+	+	+	
16 Technique d'illusionniste (mécanismes du rêve) (p. 94)	++	++	++	
17 Mélange d'histoire et de fiction				
Mémoire et perception du temps				
18 Oublis, inadvertances, erreurs				+
19 Troubles de la mémoire	+			

20	Mémoire **presbyte** (contradictions ou retour obsessif des idées à peu de lignes ou de pages d'intervalle) (p. 91)	++	++	|+	|
21	L'ajournement (p. 58)	+	+	+	|
22	Le mouvement d'anticipation (p. 79)				
23	La chronologie **barométrique** (qui fait avancer ou reculer l'époque du récit (p. 92)	|	+	+	|
	Procédés de mystification				
24	Age variable des personnages	+	+	|	+ (5)
25	Personnages sans **ligne de vie** (p. 96)	+	+	+	+
26	Références volontairement vagues ou fantaisistes (p. 80)	++	|+	||	||
27	Précisions absurdes (p. 111)		+	|	
28	Non concordance entre la chronologie de l'action du roman et celle des faits historiques (p. 74)	+	|	|	+
29	Superposition de deux chronologies : celle du narrateur et celle de l'auteur (p. 61).				
30	Disparition du temps (p. 125)	++	|+	|+	+|

(1) Ce terme qualifie, sauf en ce qui concerne les troubles de la mémoire, les facteurs qui dérivent plus ou moins directement de la conscience malheureuse de Proust et qui ont été employés par lui comme armes de défense.

(2) Le signe + indique que le facteur inscrit dans la colonne « énumération » doit être rangé sous la rubrique dont le nom figure en haut d'une des quatre colonnes de droite.

(3) Le signe — indique le contraire.

(4) Nous avons déjà dit que la théorie de la mémoire affective peut être considérée comme une sublimation de la terreur qu'inspire à Proust le temps réel, celui où s'inscrivent les actes, les fautes et le remords. (C'est pourquoi d'ailleurs, si l'on ne connaît pas la vie de Proust, on ne comprend rien au complexe de culpabilité du narrateur).

(5) Plusieurs procédés de mystification sont placés dans la colonne « facteurs matériels ». Il se peut en effet (mais à notre sens cette thèse est insoutenable) qu'ils résultent accessoirement de la manière de composer de Proust.

Les références qui figurent dans la colonne Enumération renvoient à notre étude.

Ce tableau, à l'image de l'étude qui le précède, n'est ni complet, ni ordonné suivant des
critères indiscutables, ni surtout suffisamment
détaillé. Tel qu'il se présente, il fournit cependant des indications relativement claires et qui
nous paraissent valables.

1) — Ce qui frappe tout d'abord, c'est, à une
exception près, le rapport entre les facteurs
matériels et les facteurs esthétiques. On comprend très bien pourquoi Mlle G. Brée affirme
que ce serait un contre-sens de chercher une
justification esthétique aux incompabilité chro-
nologiques de la *Recherche*. On comprend aussi
pourquoi M. G. Poulet ne tient aucun compte des
facteurs matériels. Les deux thèses se situent
dans des domaines absolument distincts, mais
limités.

2) — Entre les facteurs matériels et les facteurs psycho-pathologiques le rapport est à peu
près le même. Pour chacun des quatre cas où ils
coïncident on peut montrer, comme nous l'avons
fait, que ni la manière de composer ni la méthode
et les circonstances de travail ne peuvent rendre
compte des faits. Cela est particulièrement vrai
en ce qui concerne la superposition des deux
chronologies. Avec un minimum d'effort Proust
aurait été capable, s'il l'avait voulu, de raccorder la chronologie d'*Un Amour de Swann* à
celle de *Combray* et de *A l'Ombre des Jeunes Filles en Fleurs*. Il ne l'a pas fait. Pourquoi ?

3) — Les facteurs esthétiques et les facteurs psycho-pathologiques se confondent assez souvent. Mais ceux que nous nommons procédés de mystification ne relèvent que dans deux cas de l'esthétique proustienne. Ce sont eux qui rendent si difficilement croyable la théorie du souvenir et celle de l'extra-temporalité visionnaire, de même que celle du monde en lui-même anachronique que Proust aurait créé. Comment ce monde, qu'il eût été si facile de laisser voguer dans un temps indéterminé, serait-il compatible avec les innombrables précisions répandues dans *La Recherche* (253) et surtout avec l'ébauche d'une chronologie à peu près cohérente dans au moins un tiers du récit ?

4) — On constate enfin que les facteurs les plus nombreux sont ceux que nous avons appelés pathologiques. Non qu'il s'agisse de pathologie au sens propre du mot. Proust, bien que terriblement nerveux, susceptible et méfiant, n'était atteint d'aucune maladie mentale (254). Mais l'intensité avec laquelle il a vécu le drame de

---

(253) Encore un exemple de précision : A Doncières en décembre 1897 Saint-Loup dit : « Ainsi pour nous autres cavaliers, nous vivons sur le *Service en Campagne de* 1895... » (II, 116). De tels détails montrent combien fragile est l'hypothèse selon laquelle Proust aurait cultivé l'anachronisme pour des raisons purement esthétiques.

(254) Voir cependant l'histoire des rats dans A. Germain, *Les Clés de Proust,* p. 71.

ses goûts anormaux et de sa condition particulière parmi les hommes, les conséquences qu'il
en a tirées sur le plan de l'œuvre, l'univers étouf-
fant de sensualité et de souffrance où il s'est
débattu et peut-être complu, font néanmoins de
lui un frère de Baudelaire et de Dostoïewski (255).
Nul autre écrivain français, malgré d'énormes
différences, ne resemble autant au romancier
russe. Comme lui il écrit ses mémoires et ses
confessions dans un souterrain. Comme lui il se
tient embusqué derrière ses personnages les plus
pénibles. Mais Proust se cache aussi derrière le
temps et les ruines du temps. Dans l'ordre du
mensonge créateur il n'y a pas eu d'invention
plus étonnante et plus féconde.

---

(255) On a aussi comparé Proust à Kafka (G. de Bois-
deffre dans la préface du livre de G. Cattaui : *Marcel
Proust* (Ed. Universitaires). Le rapprochement, bien que
discutable, se trouve confirmé par deux passages absolument kafkaïens de la *Recherche* : II, 733 (l. 30-43) ;
III, 917 (1.7-34). Quant à Rousseau, si important pour
Proust (cf. L. Daudet, op. cit., p. 88) et dont le nom n'est
cité que deux fois dans la *Recherche* (une fois dans un
passage de lecture douteuse qui n'a pas été inséré dans
le texte définitif), il pose un problème sur lequel nous
aurons peut-être l'occasion de revenir dans un essai qui
s'intitulera *Confession et déguisement dans l'œuvre de
Marcel Proust*. Enfin, l'influence de Rousseau, comme
celle de Chateaubriand, sur l'esthétique de Proust, pour
déterminante qu'elle soit, nous semble secondaire dans
la mesure même où nous considérons la doctrine littéraire de l'auteur de la *Recherche* comme un sous-pro-
duit négligeable de sa création.

C'est ce que nous nous sommes attaché, non à prouver, mais à suggérer dans cette étude qui ne se veut qu'une introduction à des travaux plus approfondis, à des explorations plus patientes et plus fructueuses du puzzle qu'est sans contredit la chronologie d'*A la Recherche du Temps perdu*.

FIN

Imprimerie A. LEMASSON - SAINT-LO (Manche)

Dépôt légal : 2ᵉ trimestre 1963